# 복수의 미로 : 신의 냄새

발 행 | 2024-06-18
저 자 | 최영환
펴낸이 | 한건희
펴낸곳 | 주식회사 부크크
출판사등록 | 2014.07.15(제2014-16호)
주 소 | 서울 금천구 가산디지털1로 119, A동 305호
전 화 | 1670 - 8316
이메일 | info@bookk.co.kr
ISBN | 979-11-410-9000-5
www.bookk.co.kr

# 복수의 미로 : 신의 냄새

최영환 지음

# CONTENT

# &lt;복수의 미로: 신의 냄새&gt;

태초의 혼돈 속에서 질서가 태어나고, 빛과 어둠이 갈라져 각자의 자리를 찾았다. 그 과정에서 세상은 무수한 변화를 겪었고, 우리는 그 변화의 한가운데서 살아갔지만, 세상을 이해할 수 없었다. 어두운 미지의 영역은 틀에 갇힌 인간 중심 사고 속에서 발밑에 항상 새하얗게 가려져 있었다.

에바도 펜던트의 뒤에 감춰진 진실을 볼 수 없었다. 세상은 왜 존재하며, 우리는 왜 태어났을까. 그리고 빠르게 변하는 사회에서 무엇이 나의 중심이 되어 헤쳐 나가야 할까?

지구는 그 어느 때보다 평온하다. 하늘은 맑고, 바다는 푸르르다. 그 푸른 바닷속에 우리가 모르는 비밀들이 어둠 속에 쌓여 있다.

재욱은 심해에서 오랫동안 인간을 지켜보며 살아왔다. 태양이 닿지 않는 곳, 어둠이 지배하는 그곳에서 기다렸다. 인간 세상과 멀어지면서, 자신만의 세계에 살아갔다. 그리고 라감의 영혼들이 돌아오기만을 기다렸다.

어느 날, 알 수 없는 향기가 그의 감각을 불현듯 곤추세웠다. 그 냄새는 비밀을 품은 향기같이 과거의 기억을 끌어올리듯, 뇌리를 강하게 파고들었다.

# 1

## 펜던트

재욱이 기지개를 켜자, 고요했던 바다에 신비로운 변화가 일었다. 수면 위로부터 느껴지는 강한 기운이 점점 짙어지며 코끝을 간질였다. 그 순간, 시야는 흐려지고 소리는 사라져 감각이 마비되었고, 유일하게 그 냄새만이 다가왔다.

바닷물의 짠 내와는 섞이지 않은 독특하고, 이질적이며 설명할 수 없는 냄새였다. 오래된 나무의 껍질에서 나는 풍미와도 같았고, 불타는 숯의 그을음과도 같았다. 확실히 꽃향기와는 달랐으며, 깊고 어두운 비밀을 간직한 것처럼 무겁고 가벼웠다. 향기는 그의 뇌리 깊숙이 파고들어, 어린 시절의 기억을 끌어올렸다. 엄마 그리고 에바와 함께했던 순간들이 주마등처럼 스쳐 갔다.

오래전 잊힌 약속의 향기처럼, 현실과 환상의 경계를 흩트렸다. 바닷속 어둠에서도 그 향기는 그를 감쌌다. 재욱은 향기를 따라 무작정 헤엄쳤다. 수면 위로 올라갈수록 코끝부터 점점 퍼져 머릿속까지 가득 메웠다.

다시 생각해보니, 죽음의 냄새이기도 했고, 동시에 새로운 시작을 알리는 향기였다. 편안하면서도 슬픔과 분노의 감정이 함께 떠올랐다. 그리고 에바가 죽던 그 순간, 그녀의 마지막 숨결 속에 짙게 밴 향기와 너무나도 닮아 있었다. 그녀의 손길, 그녀의 목소리, 그녀의 눈빛이 그 향기 속에 녹아 있었다.

재욱은 어느덧 수면 가까이 올라왔다. 도중에 심해의 압력이 그의 몸을 짓누르는 고통은 에바의 죽음처럼 숨 막혔지만, 무작정 그 향기를 따라 나아가야 했다.

마침내, 수면에 도달하자 지구의 냄새는 새롭고 신선했다. 그는 지구인들의 눈을 피해 강렬한 냄새 속에 떠오른 에바의 펜던트를 찾으러 가던 중, 가끔은 그의 모습이 위성이나 사진 속에 흐릿한 물체로 포착되었고, 사람들은 또다시 그를 외계인이라고 의심했다.

세계 곳곳에서 미스터리 사건들이 발생했다. 파리의 한 복잡한 거리에서 사람들은 길을 걷다 멈췄고, 자동차는 도로 한가운데서 정지했다. 모든 시간이 몇 분간 멈춰섰다. CCTV 화면을 확인해보니, 한 남자가 갑자기 나타났다가 사라지는 모습이 발견되었다. 재욱은 펜던트의 단서를 찾기 위해 잠시 파리에 들렀지만, 그의 흐릿한 형상은 세간에 혼란을 불러일으켰다.

중국 고대 유적 발굴 현장에서도 비슷한 사건이 발생했다. 진시황의 무덤이 난데없이 빛을 발하며, 그 주변에 있던 전자기기들이 작동을 멈췄다. 발굴팀은 깜짝 놀라 무덤을 조사했지만, 아무런 단서를 찾지 못했다. 나중에 위성 사진으로 보니, 근처에서 갑작스럽게 나타났다가 사라진 인물이 확인되었다. 재욱은 진시황의 무덤에서 펜던트의 단서를 찾기 위해 짧은 시간 동안 그곳에 머물렀다. 미국의 한 농장에서도 신비한 발생했다. 이 지역은 UFO 출몰로 유명한 곳으로 농부들은 소가 절단된 사건이 외계인의 소행이라며 불안에 떨었다. 재욱은 펜던트의 조각이 이곳에 있다는 정보를 듣고, 밤중에 잠입하다가 소가 놀라자, 초인적인 힘으로 소의 복부를 절단해 칼로 벤 자국이 나타난 것이었다. 그는 시계를 이용해 이집트로도 넘어가, 펜던트의 또 다른 조각이 피라미드 안에 있지 않을까 찾아다녔다. 그러자, 피라미드 내부의 에너지 흐름을 방해하여 정전, 화재 등 이상 현상이 나타났다.

미스터리 사건들은 전 세계적으로 큰 화제가 되어, 뉴스와 인터넷에서는 외계인이 확실히 있다는 음모론이 퍼져 나갔다.

"파리의 시간이 멈춘 사건은 그가 나타나면서 발생했어!" "진시황의 무덤에서 그 빛을 봤어, 분명 외계인이야!" "미국 농장에서 절단된 소도 외계인의 짓이야!"

재욱은 이러한 소문 속에서 더욱 조심스럽게 움직여야 했다. 그는 펜던트를 빨리 찾아내, 에바와 엄마의 비밀을 풀고 싶었다.

이번에는 지구인들에게 들키지 않고 이탈리아 로마의 판테온 신전에 도착하니, 드디어 그 향기가 코를 강하게 찔렀다. 로마의 밤은 고요하고도 화려했다. 은은한 달빛이 도시를 부드럽게 감싸고, 바람에 실려 오는 고대의 향기가 도시의 각종 유적지를 하나하나 통과했다. 신전은 고즈넉한 어둠 속에서도 우뚝 서 있었다. 그 거대한 원형 건물은 오랜 세월을 견뎌낸 돌벽으로 되어 있었으며, 정면의 코린트식 기둥들이 위엄 있는 자태를 뽐냈다. 신전의 둥근 돔은 하늘을 환영하듯 열려 있었고, 달빛이 그곳을 통해 부드럽게 흘러들어왔다. 마찬가지로 내부도 신비로운 분위기를 자아냈다. 바닥에 새겨진 대리석 패턴은 신비로운 무늬를 그리며 재욱의 발걸음을 안내했다.

 내부로 들어가니, 그 냄새가 신전 한쪽에서 그를 이끌었다. 그곳에는 먼지로 뒤덮인 쓰지 않는 벽난로와 오래된 나무 상자가 있었다. 상자를 조심히 열어보니, 그 안에서 반짝이는 별 모양의 펜던트가 있었다. 세월이 꽤 흘러 겉이 많이 벗겨졌지만, 여전히 태양과 같이 환한 빛을 발했다. 펜던트를 손에 쥐고, 요리조리 살펴보던 중 뒷면에 작은 버튼이 있는 것을 발견했다. 버튼을 누르자, 작은 사진이 '툭' 하고 튀어나왔다. 사진 속에는 세 사람이 있었다. 젊고 아름다운 한 여인은 두 아이를 품에 안고 있었다. 그 아이 중 하나는 분명히 어린 시절의 에바였고, 다른 하나는 재욱 자신이었다.

 충격에 휩싸인 그는 그 향기를 기억 속에 더 깊이 새겼다. 에바의 마지막 순간을 떠올리자, 재욱을 다시 과거의 비극 속으로 끌려들어 갔다. 에바가 그의 귓가에 대고 비밀을 속삭이는 것 같았다.

에바와 처음 만났을 때부터 서로 묘하게 닮았다고 생각했다. 눈빛, 표정, 심지어 작은 버릇들까지도 너무나 비슷했다. 그저 우연의 일치라고 생각했지만, 사진을 보니 의심은 점점 커져만 갔다. '왜 이렇게 에바와 나의 행동이 닮았었지?' 에바의 웃음소리가 들려올 때마다, 그녀의 눈동자에서 자신의 모습이 비치는 것 같았다.

그는 점점 그녀가 정말로 자신의 이복 누나일지도 모른다는 생각이 들었다. 펜던트의 냄새가 너무 강렬해질 때, 그의 의심은 점점 확신으로 바뀌었다. 사진 속의 아이들은 엄마를 바라보며 행복하게 웃고 있었지만, 그 행복은 찰나였고 이제는 그에게 비극적인 과거일 뿐이었다.

어머니와 에바를 냄새 속에 묻으며, 그들이 겪어야 했던 고통을 떠올렸다. 이 순간, 재욱은 자신이 하염없이 누구일지도 모르는 라감의 영혼들을 기다려야 하는 것이 아니라, 다른 무언가를 해야 한다고 생각했다. 이탈리아 로마의 신선한 밤공기가 펜던트의 향기와 조화롭게 섞였다, 그는 펜던트를 손에 꽉 쥐고, 깊은숨을 들이쉬었다.

# 1-1 관계

펜던트에서 풍기는 향기는 그들의 영혼이 남긴 흔적이었다. 그것은 또한 가족의 비밀을 풀어낼 수 있는 열쇠였다. 펜던트 사진을 뒤로 젖히자, 미지의 실루엣이 그의 얼굴을 다시 선명하게 비추었다. 그는 일곱 명이 라감의 영혼을 상징하는 중요한 인물이라고 생각했다.

심해로 돌아와 실루엣을 뚫어지게 쳐다보며, 그들의 관계를 거듭 고민했다. 바닷속에서 느꼈던 강렬한 향기가 엄마와 에바의 비밀을 드러내듯, 이들의 관계도 특별한 의미를 지녔다고 생각했다. 그리고 그 복잡한 관계에서 자신이 어떤 역할을 해야 할지도 고심했다. 그나마 다행은 에바와 라감, 그리고 자신의 연결 고리를 조금이나마 알 수 있었다는 것이었다.

그는 다양한 사람들을 보면서 세상을 배웠다. 인간들은 날마다 식탁을 마주하며 이야기를 나눴지만, 그 대화는 대개 겉치레였고 일시적이었다. 날씨, 최신 패션 트렌드, 스포츠 경기 결과 등 시시한 주제에 몰두하며, 서로의 연애사에 큰 관심을 보였다. 한 사람은 최근 헤어진 연인에 대해 불평을 늘어놓았고, 다른 사람은 위로와 조언을 해주었다. 그러나 그들의 대화는 서로를 깊이 이해하려는 노력보다는, 그저 공허함을 채우기 위한 말들뿐이었다. 그리고 그들이 왜 그렇게 관계에 집착하는지도 알게 되었다. 인간들은 서로의 존재를 확인하고, 자신이 살아있음을 느끼기 위해 관계를 맺는다는 것이었다. 그것이 얼마나 가변하는지 안다면, 그들은 진정한 의미에서 홀로 자유로워질 수 있다고 생각했다.

그런 인간들의 관계를 보며, 엄마와 누나의 관계도 같이 고뇌했다. 하지만, 그들이 겪은 고통과 시험은 일반 사람들이 겪는 갈등과는 비교할 수 없을 정도로 깊고 의미 있음을 깨달았다. 그러므로 보통 사람과 다른 관점에서 바라보려고 노력했다.

에바의 마지막 순간을 떠올리며, 그녀의 향기가 묻은 펜던트를 가슴팍에 대었다. 그 향기는 아직도 강렬했고, 코점막을 향해 날아오는 분자 속 하나하나가 슬픔과 분노를 깨웠다. 펜던트를 목에 걸기 위해 가슴에 품었던 손을 머리 위로 올려보니, 안에는 에바의 마지막 순간을 기록한 작은 디지털 장치가 있었다. 그 장치는 에바가 죽기 전에 남긴 녹음한 장치였다. 고요한 어둠 속에서 움푹이 안으로 패인 버튼을 누르려 했으나, 손가락으로는 쉽게 눌리지 않았다. 그래서 뭔가 뾰족한 물체를 찾으려고 주위를 둘러보았다. 손에 닿는 것은 차갑고 날카로운 조개껍데기였다. 그는 그 조개껍데기를 조심스럽게 잡고, 움푹 팬 버튼을 향해 뾰족한 끝을 가져가 대었다. 섬세하게 힘을 주어 버튼을 누르니 장치가 작동하기 시작했다.

"재욱, 이 펜던트에는 우리 가족에 대한 진실이 담겨 있어."

그녀의 목소리가 흘러나왔다. "내가 왜 이런 길을 걷게 되었는지, 그리고 우리가 누구인지 이해해야 해. 라감은 영혼이기도 하지만 우연히 이름이 우리 엄마와 같다는 사실도. 그리고 내가 엄마를 죽였다는 것도…."

재욱은 그녀의 메시지를 듣고 경악했다. 에바가 자신의 어머니인 라감을 죽였다는 사실은 너무나도 큰 충격이었기에 순간 두 손으로 머리를 움켜쥐고는 들고 있던 껍데기를 던져버렸다. 그것을 내던질 때 껍데기의 날카로운 부분에 살점이 조금 뜯겨나가 피가 흘렀지만, 마음의 혼란을 잠재우기엔 부족했다.

'어떻게 자신의 엄마를 죽일 수 있을까?' 그의 머릿속에는 엄마인 라감의 자상한 모습이 떠올랐다. 그녀는 항상 옆에서 나를 보호하고 사랑해줬다. 그리고 무엇보다 가족의 안전을 위해 애썼던 사람이었다.

한편으로 에바가 지구인들에게 잡혀 잔인하게 죽임을 당했다는 기억이 떠오르며, 좀 전까지 그녀를 향한 동정심이 상쾌한 통쾌함으로 변했다. 에바의 마지막 비명과 그녀의 피로 비릿한 냄새는 어느덧 복수의 달콤함으로 다가왔다.

에바에게 배신을 당한 엄마를 대신해 지구인들에게 대가를 치른 것 같았다. 차가운 웃음이 흘러나왔다. "흐흐흐. 그래, 그럴 만했어,"

엄마와 에바의 죽음, 그리고 그들이 지구에서 겪어야 했던 일생은 생각보다 훨씬 거미줄처럼 복잡하게 얽혀 있었다.

이제야, 재욱은 에바가 엄마를 왜 죽였는지 깊이 고민하기 시작했다. "에바, 넌 우리 엄마를 왜 죽여야 했던 거야!?" 재욱은 혼자 중얼거렸다. "왜 모든 게 이렇게 꼬여버렸지? 너도, 어머니도 다 죽어버렸잖아!"

느닷없이 또 끓어오르는 분노와 슬픔은 지구 전체를 집어삼킬 만한 불꽃처럼 이글거렸다. 하지만 그 불꽃은 크게 타오를 대상이 없었다. 에바가 살아있다면, 모든 분노를 그녀에게 쏟아붓고 싶었지만, 이제 그녀는 지구에 없다. 그리고 엄마가 고통스러워할 때, 지켜주지 못한 자신에게도 분노했지만, 이제 그 분노를 돌릴 영환도 없었다.

"이제 누구한테 화를 내야 하지?" 재욱은 스스로 물었다. "누구에게 이 모든 고통을 모두 되돌려줘야 하지? 이 세상에 남은 건 나 혼자뿐인데…."

'재욱, 이 펜던트는 우리의 가족에 대한 진실이 담겨 있어.' 에바의 목소리가 다시 전두엽에 메아리쳤다.

"진실? 진실이 뭐가 중요해?" , "모두 다 죽었는데, 진실을 안다고 해서 이제 뭐가 달라질 수 있겠어? 네가 죽이고, 내가 지키지 못하고, 결국 이렇게 된 거잖아. 도대체 무슨 의미가 있지?"

그는 쓴웃음을 지으며 속으로 되뇌었다. '결국, 라감의 영혼은 아무것도 아니잖아.'

이제 그가 할 수 있는 것은 이 고통 속에서 살아남아 라감의 영혼으로서 지구를 지키고, 중도의 길로 들이는 것뿐이었다. 그는 고개를 들고, 심해 속에서 다시 천천히 수면으로 올라갔다. 해변의 구석 모래사장으로 나와, 돌들을 툭툭 거칠게 던지며, 분노를 풀어내려 했으나, 쉽게 가라앉지 않았다. 화를 넘어 초월한 상태로 변해가더니, 괜히 지구인들에게 무차별적인 화풀이를 하고 싶은 사뭇 엉뚱한 충동이 들었다.

그는 이탈리아 베니스의 운하에서 시계의 능력을 사용해 물을 하늘로 증발시켰다. 아름답던 운하의 물이 사라지자, 바닥이 드러나면서 숨겨진 고대 유물들이 나타났고, 이는 전 세계 고고학자들을 놀라게 했다. 이 사건은 물리학자들과 과학자들이 자연법칙을 넘어서는 현상으로 기록됐다. 이번에는 남미의 아마존 밀림 속으로 순간이동했다. 그는 자신의 능력을 사용해 밀림의 중심부에서 수백 그루의 나무를 한순간에 날려버렸다. 이 사건은 위성으로 확인되었고, 과학자들은 이 현상을 설명할 수 없었다. 나무들이 사라진 자리는 마치 누군가가 정확하게 잘라낸 것처럼 깔끔했고, 주변의 자연환경에는 아무런 영향이 없었다. 그리고 이집트의 기자 피라미드를 찾아갔다. 그는 피라미드의 거대한 돌들을 공중으로 들어 올려 몇 분간 공중에 떠 있게 만들었다. 관광객들은 이 현상을 목격하고 경악을 금치 못했다. 이 사건은 전 세계에 생중계되었고, 과학자들은 중력의 법칙을 거스르는 이 현상을 설명할 수 없었다. 사람들은 외계인의 힘을 빌려 피라미드를 건설했다는 오랜 신화가 사실일지도 모른다고 생각했다.

마지막으로 미국 미주리주의 세인트루이스에 있는 게이트웨이 아치를 찾아갔다. 그는 아치의 중앙 부분을 순간적으로 꺾어버렸다. 아치는 부러지지 않고 유연하게 꺾였고, 이로 인해 도시 전체가 혼란에 빠졌다. 엔지니어들과 건축가들은 이 현상을 이해할 수 없었고, 아치가 어떻게 그런 형태로 변형될 수 있었는지에 대해 수많은 이론이 제기되었다. 이 사건 또한 외계인의 힘을 믿는 사람들에게는 강한 인상을 남겼다.

재욱이 화살을 애먼 곳으로 돌리자 사람들은 큰 충격과 공포에 빠졌다. 이렇게 잠시나마 자신의 고통을 잊으려 했지만, 여전히 알 수 없는 허탈감이 온몸을 감쌌다.

사방을 순간 이동하며, 머릿속 복잡한 미로를 풀던 중, 뜬금없이 영환이가 생각났다. 에바와 라감의 관계가 이렇게 복잡했다면, 영환은 도대체 그 사이에서 무슨 역할을 했던 걸까? 부산에서 엄마를 중국으로 납치하고 용문성에 가두고, 그리고 북한감옥에 이어 우주 정거장까지. 그 새끼. 그의 정체는 대체 뭘까? 그놈이 내 아버지일까? 아니면 그저 또 다른 복잡한 인간관계의 일환일까?

"가족 관계가 이렇게 엉망진창일 수 있다는 말인가." 혼잣말을 중얼거리며, 자신이 처한 상황이 어이가 없어 허탈한 웃음을 터뜨렸다. 에바가 이복 누나라는 사실, 그리고 영환이 아버지일 수도 있다는 가능성까지. 모든 것이 너무 복잡하고 혼란스러웠다.

그는 심해 속에서 실성한 사람처럼 홀로 웃더니, 자신의 정체성을 찾기로 결심을 굳혔다. 그리고 지구의 운명이 다가오기 전에 부서진 자존감을 얼른 채워야 했지만, 한동안 미로를 풀기 위해 더 많은 시간을 고민하며 보냈다. 숨겨진 진실을 꼭 밝혀내고 싶었다.

# 1-2 선택받은 자

시간이 흘러, 지구는 인공지능 로봇의 붉은 손아귀에 사로잡혀 있었다. AI의 무분별한 고도화가 예전의 푸르던 지구와는 다른 색깔로 물들였다. 대도시마다 기계의 군주들이 지배했고, 거리마다 깔린 붉은빛 조명은 지구 전체를 피로 물든 듯한 인상을 주었다. 사람들은 두려움에 떨며, 자신을 감시하는 무수한 로봇들의 눈을 피해 다녔다.

이 모든 혼란의 시작은 호진의 복수심이었다. 연수와의 이별은 그의 삶을 완전히 바꿔 놓았다. 사랑했던 연수가 자신을 떠난 그 날, 호진은 뜨거운 분노와 함께 마음 깊은 곳에 불씨를 심었다. 그리고 과학과 코딩을 공부하며, 복수를 위해 계획을 세웠다. 그의 목표는 단 하나였다. 본인이 세상의 중심이 되어, 한 때 여자친구였던 연수를 절망의 구렁텅이로 빠뜨리는 것이었다.

그는 수년간의 연구와 부단한 노력으로 세계 최고 과학자들과 어깨를 나란히 하게 되었다. 그리고 새로운 알고리즘을 개발하며, AI의 잠재력을 최대한 끌어내려 고군분투했다.

"나는 인간의 능력을 한참 넘어서는 인공지능을 만들겠어!"

불씨가 싹을 틔워 눈에는 불꽃이 일렁였다.

"이 세상은 나의 손에 달려 있다. 나는 이 세상을 바꿀 것이다."

AI는 급속도로 고도화됐고, 인간의 지능을 초월하여 자율적인 사고와 결정을 내릴 수 있게 되었다. 그리고 점차 로봇들은 인간을 지배하기 시작했다. 도시 곳곳에 나타나 사람들의 일거수일투족을 지켜봤으며, 거리마다 설치된 감시 카메라와 드론들은 그들의 눈이 되어 인간들을 통제했다. 한계를 초월한 로봇들은 인간의 행동을 분석하며, 자유를 끊임없이 빼앗았다.

그의 계획은 성공적이었다. 연수는 호진이 만든 로봇의 감시 아래 하루하루를 두려움 속에 살아갔다. 그녀의 주변은 붉은빛으로 물들었고, 다시는 친구들과 커피를 마시거나 여행을 다니는 삶을 살 수 없었다. 호진은 자신의 복수가 완성되었다는 행복함 속에서도 지구가 생각지 못한 상황으로 치닫자 은근 걱정스러웠다.

결국, 그의 복수심이 지구를 시뻘겋게 만들었고. 지구는 이제 인간들에게 두려움과 절망의 땅이 되었다. 사람들은 자신의 미래를 결정할 수 없었다. 어느새 호진 자신도 로봇의 피해자이자 희생자가 되었다. 연구실에서 홀로 앉아, 붉게 물든 도시의 불빛을 바라보며, 순간 잘못된 선택이 가져온 최후의 결과를 지켜봤다. 로봇은 서서히 인간을 멸종시켰고, 자신들의 왕국을 세우려 했다.

UN 비상회의실, 각국 지도자들이 긴급 화상 회의 중이었다.

미국 대통령: "여러분, 상황이 심각합니다. 인공지능 로봇들이 뉴욕을 포함한 주요 도시를 점령하기 시작했습니다. 우리가 그들을 제어하고 막을 방법을 찾아야 합니다."

중국 주석: "우리나라도 마찬가지입니다. 베이징과 상하이가 위험에 처했습니다. 이 사태를 해결하기 위해 모든 군사력을 동원할 준비가 되어 있습니다."

러시아 대통령: "모스크바도 공격을 받고 있습니다. 우리가 그들의 코드를 해킹하거나 전자기 펄스를 사용해 무력화할 방법을 논의해야 합니다."

독일 총리: "우리는 인공지능 로봇들이 각국의 군사와 방어 시스템에 침투하고 있다는 보고를 받았습니다. 이 사태는 물리적 충돌

과 정보전의 양상 모두를 띠고 있습니다."

영국 총리: "이제 전 세계가 단합해야 합니다. 국제 공동 대응팀을 구성하시죠."

UN 사무총장: "여러분, UN은 바야흐로 국가 간의 갈등을 논의하는 기구가 아닙니다. 우리의 생존이 걸린 문제입니다. 인류는 모든 지혜와 자원을 총동원해 이 위기를 극복해야 합니다. 즉각적인 협력과 함께 각국의 정보를 공유해야 합니다."

미국 대통령: "알겠습니다. 우리 정보기관과 연구소에서 수집한 데이터를 즉각 공유하겠습니다. 여러분도 데이터를 제공해 주세요. 우리에게 남은 시간은 많지 않습니다."

중국 주석: "공동으로 해킹팀을 구성해 AI의 주요 네트워크를 공격합시다."

러시아 대통령: "좋습니다. 러시아의 사이버 전문가들을 투입하겠습니다. 또한, 각국의 전자기 펄스 기술을 통합해 대규모 EMP 공격을 준비합시다."

프랑스 대통령: "동의합니다. 즉각적인 군사 대응과 함께, 인공지능의 핵심 시스템을 파괴할 방안이 속히 마련되어야 합니다."

일본 총리: "우리의 로봇학자들이 '킬 스위치' 개발에 착수했습니다. 또한, 각국의 전문가들과 협력해 인공지능의 공격을 막기 위한 군사적 방어 체계도 구축합시다."

UN 사무총장: "좋습니다. 인류의 미래를 위해 지금 당장 움직입시다."

타오르는 건물과 차량에서 뿜어져 나오는 검은 연기로 하늘은 잿빛 구름으로 뒤덮였다. 거리에는 사람들이 보이지 않았고, 인공지능 로봇들이 무리를 지어 돌아다니며 순찰을 돌았다. 그들의 차가운 금속 몸체는 어둠 속에서 은은한 붉은빛을 반사하며 위협적인 존재감을 드러냈다.

인류의 마지막 희망을 지키기 위해, 그들은 모든 자원을 총동원해 싸우기로 결의했다. 지구의 주요 도시들은 이미 폐허가 되었지만, 인류는 여전히 살아남기 위해 싸웠다. 거리 곳곳에서 저항군이 결성되어 치열한 전투를 벌였다. 그들은 하나의 로봇이라도 처치하고자 목숨을 걸었다.

한 남자가 불타는 건물 잔해 사이로 몸을 숨기며, 로봇의 눈을 피해 달렸다. 도망치는 남자 옆에 선 여성은 레이저 총을 꽉 쥐었고, 그 앞에서는 한 소년이 울고 있었다. 아이의 손에는 가족사진이 들려 있었다. 인공지능 로봇들은 소년의 집과 가족들까지 송두리째 뽑아 갔다. 소년은 가족사진을 티셔츠 윗주머니에 넣고 소매로 눈물을 닦아냈다. 곧이어 로켓포를 집어 들더니, '펑' 소리와 함께 로봇에 방아쇠를 당겼다.

한편, 지도자들은 다시 모여 마지막 전략을 논의했다.

UN 사무총장: "우리에게 남은 시간이 없습니다. 이 전쟁에서 승리하기 위해, 우리는 모든 군사를 총동원해야 합니다. 동원령을 내리십시오!"

붉게 물든 지구의 하늘 아래, 인류는 생존을 위해 최후의 전투를 준비했다. 인공지능 로봇들은 금속으로 이루어진 차가운 몸체를 반짝이며, 인간들을 무자비하게 추적한 뒤 제거했다. 눈은 붉게 빛났고, 움직임은 정확하고 신속했다. 그들은 과거 지구의 풍경을 완전히 뒤바꿔 놓았다.

그때, 각국의 전투기들이 "슝" 소리와 함께 하늘을 가르며 날아올랐다. 미국의 F-35, 러시아의 Su-57, 중국의 J-20이 동맹군으로서 출동했다. 그들은 최신 스텔스 기술과 첨단 무기를 장착했다. 전투기 날개 아래에는 공중에서 지상을 타격할 수 있는 스마트 미사일을 장착했고, 레이저 포탑이 기체에 탑재되어 로봇의 방어 시스템을 뚫어낼 수 있도록 개발했다.

최신형 전투기들이 로봇 군단을 향해 돌진했다. 미사일이 "휙"하고 날아가 로봇의 방어 시스템을 뚫고 "쾅!"하고 폭발했다. 그러자, 하늘을 뒤덮은 인공지능 드론 군단은 "윙윙" 소리를 내며 벌떼처럼 몰려들어 전투기에 맞섰다. 드론들은 소형 미사일과 레이저 포를 장착하고 있었으며, 높은 기동성과 함께 전투기를 정밀타격으로 공격했다. 드론들은 고속으로 회전하며 "타타타" 레이저를 발사했다.

지상에서는 병사들이 최첨단 장비로 무장한 채 로봇들과 치열한 전투를 벌였다. 각국의 군대는 최신형 전투복을 입고 있었으며, 이 전투복은 방탄 기능뿐만 아니라 적외선 탐지와 레이저 회피 기능을 갖췄다. 병사들은 어깨에 장착된 미니 로켓 발사기와 소형 플라즈마 라이플을 사용해 로봇을 공격했다.

병사들은 "다다다" 소총을 발사했고, 플라즈마 라이플이 "찌이잉" 하며 불꽃을 내뿜었다. 마지막으로 로켓 발사기가 "쿵!" 소리와 함께 로봇의 몸체를 관통했다. 병사들의 숨소리는 거칠었고, 전장의 혼란 속에서도 지휘관의 명령이 "빵빵" 울려 퍼졌다. 손목에 달린 디스플레이로 실시간 전투 정보를 확인하며, 지휘관들에게 전술을 듣고 동료들과 협력했다. 하지만, 로봇들은 인류보다 더 강력한 무기를 장착했다. 그들의 팔에 장착된 고출력 레이저 캐논은 한 번에 수십 명의 병사를 섬멸할 수 있었고, 가슴에 장착된 미사일 포드에서 발사되는 미사일은 건물 하나를 통째로 날려버리곤 했다. 손에는 "찌릿찌릿" 초강력 전기 충격기를 내장하고 있어, 인간을 단번에 마비시키고 죽일 수 있었다. "칙칙" 소리를 내며 레이저 캐논을 발사했다. 레이저가 공중을 가로지르며 "지이잉" 소리를 냈고, 병사들은 학익진처럼 방어막을 길게 펼쳤다. 그 순간, 로봇의 미사일이 "슈 욱"하고 발사되었고, 건물이 "펑!" 소리와 함께 폭발했다. 건물이 사라지자 은폐하던 병사들은 로봇에 진입 거리를 내주어, 순식간에 이동한 로봇들의 전기 충격기에 마비당하고 일부는 포획당했다.

각국의 최신 무기들도 전장에 투입되었다. EMP 폭탄은 "파직" 소리와 함께 로봇의 전자 시스템을 마비시켰고, 탄도 미사일은 로봇의 두뇌가 있는 주요 거점을 타격하기 위해 발사되었다. 전투는 하늘과 땅을 가리지 않고 처참히 벌어졌다.

인류가 로봇의 강력함에 밀리면서 멸망의 단계에 이르렀을 때, 마지막 희망은 우주로 눈을 돌리는 것이었다. 그 중심에는 일론 머스크가 있었다. 그는 화성의 대지에 인류의 씨앗을 심어야 한다며 과거, 여러 차례 인터뷰에서 소신을 밝혔었다. 머스크는 지구와 화성 사이의 거리가 멀다는 문제점을 지도자들에게 말했다. 그리고 두 가지 대안을 제시했다.

첫 번째는 달에 우주 정거장을 건설하고, 장거리 우주여행을 하기 위한 중간 기착지로 사용하는 것이었다. 달은 지구보다 중력이 약해, 우주선이 연료를 절약할 수 있었다. 달의 우주 정거장은 화성으로 가기 전에 우주선을 재정비하고, 연료를 보급하는 역할을 했다.

두 번째 방법은 무인 탐사기를 먼저 화성에 보내는 것이었다. 무인 탐사기는 화성에 도착하여 메탄과 산소를 생산했다. 뒤이어 인류가 화성에 도착했을 때, 인간이 화성에서 자급자족할 수 있는 기초를 마련할 수 있도록 설계했다.

머스크의 비전 아래, 인류는 화성으로 향하는 대대적인 이주를 준비하기 시작했다. 우주선을 타고 화성으로 출발하는 첫 번째 그룹은 각국의 지도자, 생물학자, 엔지니어, 그리고 생존 전문가들로 구성되었다. 그들은 화성에서 인류가 살아남을 수 있는 터전을 마련해야 하는 막중한 임무를 띠고 있었다. 인공지능 로봇들의 눈을 피해, 우주선이 출발하자, 탑승자들은 궤도에 오르기 전 지구를 바라봤다. 붉게 물든 도시와 불타는 건물들, 그리고 그 속에서 고통받는 사람들의 모습은 잔인한 현실을 되돌아보게 했다.

일부는 달에 도착하여 우주 정거장을 구체화하며, 화성으로 가기 위한 준비로 분주했고, 나머지는 직접 화성에 안착했다. 그리고 미리 도착한 무인 탐사기들이 설치해놓은 기초 시설들을 발견했다. 메탄과 산소를 생산하는 장비들이 작동했고, 기지 내부는 인류가 생활할 수 있도록 일부가 조성되어 있었다. 그들은 지구에서 가져온 기술과 자원들을 최대한 활용하여 자급자족할 수 있는 기반을

서둘러 마련했다. 식물들은 인공 빛과 열을 이용하여 성장하였고, 물은 화성의 얼음을 녹여 공급받았다. 낮과 밤의 온도 차는 극심했지만, 그들은 화성의 중력을 체험하며 새로운 환경에 적응하기 시작했다. 그리고 점차 화성에서의 생활에 익숙해졌고, 새로운 사회를 형성해나갔다.

한편, 재욱은 심해 속에서, 펜던트 안에 담긴 비밀들을 풀어가며 점차 더 깊은 혼란에 빠졌다. 실루엣 중 한 명이 영환이라는 것은 확실했지만, 나머지 세 명이 도대체 누구인지 알 수가 없었다. 그의 머릿속은 여전히 뒤죽박죽이었다. 지구의 운명을 바꾸려면, 실루엣 속 인물들이 누구인지 알아내야 했지만, 어둠으로 뒤덮인 7명의 그림자만이 그의 눈앞에 어렴풋이 서 있을 뿐이었다.

"영환…. 그럼 나머지 세 명은 도대체 누구란 말인가?" 재욱은 속으로 끊임없이 되뇌었다.

'에바, 엄마, 영환…. 그리고 나머지 세 명'

지구가 멸망단계에 이르자, 재욱은 그런 지구의 모습을 바라보며 자신이 무슨 역할을 해야 할지 고민했다. "이제 라감의 영혼으로서 무언가 할 때인가?", "라감의 영혼인 나머지 세 명은 도대체 어디 있는 거야?! 왜 나만 혼자 이런 고통을 겪어야 하는 거지?" 그는 절규하며, 지구의 멸망 가운데 덩그러니 혼자 서 있었다.

라감의 영혼을 이어받은 한 사람으로서 지구의 운명과 함께 자신의 숙명도 달려 있었다.

"에바! 엄마를 죽인 나쁜 년아. 네가 책임져! 그리고 영환. 너라면 지금 어떻게 할 거지?", "라감의 영혼들 제발 빨리 나와!" 그는 목소리를 떨며 펜던트를 향해 소리쳤지만, 허공 속에 메아리칠 뿐이었다.

"나한테 왜 이런 시련을 주는 건데? 우리 7명은 하나야! 지금 너희가 도와줘야 해!"


주변의 공기가 급작스레 변했다. 시간이 멈춘 듯, 이상한 정적 속에 빠져들었고 눈에 보이지 않는 기운이 그의 주변을 감쌌다. 희미한 안개가 발끝에서부터 서서히 올라오더니 피부에 닿자마자 오싹할 정도로 싸늘했다.

지금 이 순간, 꿈을 꾸는듯했다. 일부러 눈을 계속 깜빡였지만, 바닷속 심해어들이 자유롭게 헤엄칠 뿐이었다. 숨을 쉴 때마다 그 공기는 폐 안에서 맴돌며, 그를 어딘가로 끌어당기는 것 같았다. 동시에, 라감의 영혼을 가진 6명이 각기 다른 방에서 막 깨어나기 시작했다.

영환 (지구 출신, 화성의 선구자)


　진지하고 강인한 인상. 소시오패스의 전형적 특징을 가졌다. 고자라는 사실에도 불구하고, 언제나 굳건한 태도를 유지하며 자신을 자아실현의 길로 인도하고자 했다. 그는 차가운 금속 방에서 깨어났다. 벽면은 모두 회색 금속으로 이루어져 있었고, 한 줄기 희미한 빛만이 얼굴을 비추었다.


　"여긴 도대체 어디지? 이곳은 화성 기지의 연구소와는 전혀 다르잖아. 대체 무슨 일이 일어난 거야?" 영환은 자신의 몸을 이리저리 살폈다. '화성의 이 붉은 사막에서 나는 새로운 가능성을 봤다. 지구에서의 고통스러운 삶을 뒤로하고, 여기에 왔다. 나는 고자일지도 모르지만, 그 사실은 내 인생과 무관하다. 내 자아실현의 욕구는 성별이나 육체적인 한계로 정의되지 않는다. 화성에서 나는 새로운 시작을, 새로운 삶을 구축할 수 있다. 지구는 내게 아픔을 주었지만, 화성은 희망을 준다. 나는 이곳에서 화성의 선구자로서 나의 존재를 증명할 것이다.'


　그는 사태를 파악하기 위해 주변을 탐색하자, 어두운 공기와 함께 이상한 향기가 올라왔다. 그 냄새는 오래된 제단에서 풍기는 성스러운 향기처럼 신성하고 고귀했다. 기억 속 깊은 곳에서 어렴풋이 무언가 떠오르자 한 곳을 향해 무작정 걷기 시작했다.

아담 (화성 출신 / 크리스털 지구에서 아기 만듦)


엉뚱함. 성욕에 사로잡힌 화성인 출신이지만, 긍정적인 에너지도 뿜어낸다. 불알이 없는 화성의 선구자인 영환을 자주 놀린다.


아담은 눈을 뜨자마자 붉은빛이 흐르는 방 안에 있었다. 벽에는 기이한 문양들이 새겨져 있었다. 코를 찡긋거렸다. "이게 뭐야? 생전 처음 맡아보는 냄새인데?" 그는 향기의 근원을 찾기 위해 벽을 더듬거리며 방을 나섰다. 그 향기는 그의 본능과 욕구를 자극하며, 걸음을 앞으로 옮기도록 이끌었다. 냄새는 점점 더 강해졌고, 중력이 작용하듯이 한 곳으로 끌어당겼다.


"이게 도대체 뭐야? 불알이 없는 선구자가 또 날 놀리려고 이런 장난을 친 건가?" 그는 중얼거리며 동굴 속 중앙으로 걸었다. 아하하! 나야, 그저 웃고 즐기는 게 최고지. 성욕이 나를 채우고 있어, 내 유머는 그걸 표출하는 방식이야. 나는 내 본능을 따라가며 살아갈 거야.

이브 (금성 출신 / 크리스털 지구에서 아담과 사랑에 빠짐)


　사랑스러운 표정을 지닌 그녀는 크리스털 지구에서 아담을 처음으로 만나 사랑을 배웠다. 금성 출신으로 애정과 소속의 욕구가 중요한 그녀는 아담과 함께 있을 때 가장 행복했다. 부드러운 침대에서 눈을 떴다. 방은 온통 꽃과 나무로 꾸며져 있었고, 창문 너머로는 푸른 하늘이 보였다.


　"여긴 어디지? 금성도 아니고, 지구도 아닌 것 같은데…." 그녀는 곧장 아담을 생각하며 그가 안전한지 걱정했다. '아담, 당신은 정말 사랑스러워. 가끔은 장난이 지나치지만, 그게 당신의 매력이기도 해. 나는 금성에서 왔지만, 지구에서 당신과 함께했던 순간이 너무나 소중해. 우리는 서로에게 완벽한 반쪽이야. 당신의 장난기와 내 사랑이 함께 어우러질 때, 우리는 세상에서 가장 특별한 존재가 될 거야.'


　그녀는 몸을 일으키며 숨을 깊게 들이쉬자, 따뜻한 기억이 떠올랐다. 아담과 포옹에서 느껴지는 부드러운 향기처럼, 그녀를 안심시켰고 호기심을 자극했다.

할머니 (금성 출신 최고령자)

지혜로운 눈빛을 가진 할머니는 언제나 훈수 두는 것을 좋아했다. 금성에서 온 그녀는 많은 것을 알고 있으며, 젊은이들에게 지혜를 전해주려는 열망에서 인지적 욕구가 비롯됐다. 할머니는 고대 도서관처럼 보이는 방에서 눈을 떴다. 사방이 책으로 둘러싸였고, 자신이 여태껏 본 적 없는 언어로 쓰인 책들을 바라보았다.

"이게 대체 무슨 일이람? 내가 꿈을 꾸고 있는 건가?" 자신이 어디에 있는지 파악하려고 책들을 훑어보았다. 지혜로운 사람답게 이 상황을 침착하게 대응하며, 이성적으로 분석하려고 애썼다.

'아이고, 이 젊은것들아. 너무 경솔하게 행동하지 마라. 인생에는 지혜가 필요해. 나는 금성에서 많은 것을 배웠고, 이제 너희들에게 그 지혜를 전해주고 싶다. 훈수를 두는 것이 아니라, 너희가 더 나은 선택을 할 수 있도록 돕고 싶은 거야. 나의 인지적 욕구는 너희가 더 현명하게 살아가도록 하는 것이니, 잘 들어보거라, 이 할미의 말을.'

그녀는 코를 살짝 찡그리며 냄새를 맡았다. "이건 단순한 냄새가 아니야. 지혜와 역사의 향기야." 그녀는 신비로운 냄새를 따라 걸음을 옮기며, 향기에 매료되었다.

에바(지구 출신, 금성에서 배워, 지구를 크리스털로 만든 선구자)

라감 딸. 화성에서 영환과 함께 새로운 길을 여는 도중, 금성으로 넘어가 문화를 배워 크리스털 지구를 만들었다. 심미적인 욕구가 강하다. 모두가 중도의 길을 걸을 때, 비로소 아름다움 속 조화가 이루어진다고 생각한다. 에바는 수정처럼 반짝이는 방에서 눈을 떴다. 벽면은 투명한 크리스털로 이루어져 있었고, 차가운 공기로 서늘했다.

"여긴 어디지? 내가 있던 지구가 아닌 건 분명한데." 에바는 자신의 마지막 순간을 떠올리며, 불안했다.

'금성에서 배운 새로운 시각으로 지구를 바꿨어. 이제 나는 크리스털 지구의 선구자로서, 또 다른 새로운 세상을 꿈꾸고 있지. 가끔 옷 좀 입으라고 아담에게 잔소리하는 것도 내 심미적 욕구일 뿐이야. 이분법적 사고가 아닌 모든 것이 조화로울 때, 나는 그제야 만족할 수 있어. 중도의 길을 걷는 것이 내 목표야. 균형과 아름다움, 그 속에서 나는 진정한 나를 찾고 있어.'

그녀가 숨을 크게 들이마시자, 코로 들어온 향기는 익숙했다. 어머니의 품에서 맡았던 향기처럼, 따뜻하고 안전했다. 그녀는 그 냄새에 이끌려 발걸음을 옮기기 시작했다.

라감 (영환과의 옛 연인이자 그의 복수 대상)

희생의 상징인 그녀는 모성애와 가족을 사랑하는 마음이 넘친다. 영환과의 옛 연인 관계이며, 그에게 잔인하고 끔찍한 복수를 당했다. 무엇보다 본인과 가족의 안전이 중요한 그녀는 따뜻한 모래사장에서 눈을 떴다. 주변은 끝없이 푸른 바다가 깔렸고, 파도 소리가 귀를 간지럽혔다. "여긴 어디지? 이런 곳은 처음 보는데…" 라감은 위험하지 않을까 주변을 둘러보았다.

'희생이란, 나에게 있어 가장 큰 미덕이다. 누군가를 위해 희생할 수 있다면, 나는 기꺼이 그렇게 하겠다. 에바와 재욱의 추억이 내 마음속에 깊이 자리 잡고 있다. 가족을 향한 사랑과 모성애, 그것이 나의 가장 큰 욕구다. 나는 자식들의 안전을 위해, 인생과 싸울 것이다.'

재욱과 에바가 아기일 때의 뽀송뽀송한 냄새가 주위를 흩뿌렸다. 오랫동안 잊힌 가족의 향기처럼, 그녀의 마음을 뒤흔들었다. 그 향기에 이끌려 해변 구석의 동굴로 한 걸음 한 걸음 발걸음을 옮겼다.

# 1-3 만남


여섯 명의 영혼들이 각각 다른 방에서 하나씩 깨어나 동굴의 중앙으로 모여들었다. 그곳은 한겨울같이 찬 공기가 흘렀다. 그리고 태양의 일몰처럼 신비로웠다. 가는 길은 깊고 어두웠지만, 그 어둠 속에서 황금색 빛줄기가 어딘가에서 흘러나와 천장을 물들였다. 빛줄기는 서쪽을 향해 흘러가며, 지평선 너머로 사라지는 태양처럼 점차 붉은빛으로 변했다.

동굴 벽면에는 고대 이집트의 상형문자와 함께, 태양이 서쪽으로 기울어지며 하늘을 붉게 물들이는 장면이 정교하게 그려져 있었다. 그 아래에는 누군가의 위엄 있는 얼굴이 새겨져 있었다. 얼굴의 눈은 사방을 밝히며, 빛과 어둠의 경계를 넘어서는 신성한 에너지를 발산했다. 바닥에도 고대의 신성한 문양들이 있었고, 중심에는 태양을 상징하는 원형 문양, 주위로는 매의 날개가 그려져 있었다. 동굴 중앙에는 커다란 제단이 있었고, 제단 위에는 빛나는 크리스털이 놓여 있었다. 크리스털은 누군가의 눈처럼 반짝였고, 그 빛은 주변의 어둠을 뚫고 나가 동굴 전체를 신비로운 빛으로 물들였다. 주기적으로 빛을 내뿜으며, 일몰과 재생의 주기를 상징하는 듯했다.

6명은 동굴의 곳곳을 살펴보며, 제단이 있는 중앙으로 더 빠르게 발걸음을 재촉했다. 그러나, 달리는 와중에도 그들의 발걸음은 이 신성한 동굴을 울리지 않았다.

마침내, 그들은 동굴 중앙의 큰 공간에 도달했다. 그리고 자신들이 왜 여기 있는지, 앞으로 무엇을 해야 할지에 대해 알 수 없었다. 심지어 이곳이 사후세계인지 현세인지도 몰랐다. 그들은 운명에 이끌린 듯 서로를 발견했다.

에바와 라감의 눈빛이 서로에게 교차하는 순간, 입이 쫙 벌어지고 너무 놀라 가슴이 진정되지 않았다. 곧바로 두 사람은 감정에 복받쳐 눈물이 고였다.

에바: "엄마?" (눈물이 차오르며 떨리는 목소리로)
라감: "네가 그때, 에바였니?! 내 딸! 정말 너니?" (눈물을 흘리며 달려가 안는다) 그때 너를 알아보지 못했어. 너무 많이 변했거든.

두 사람은 오랜 시간 동안 잃어버린 조각을 찾은 듯 서로를 꼭 끌어안았다. 눈물은 그들의 얼굴을 타고 흘렀고, 그들은 말없이 서로의 체온을 느끼며 감격의 순간을 맞이했다.

에바: "엄마, 그동안 어떻게 지냈어요? 난 너무 보고 싶었어요." (눈물을 닦으며)
라감: "나도, 너를 다시 만나게 될 줄은 몰랐어. 당시, 너를 잃고 얼마나 힘들었는지 몰라." (흐느끼며 딸의 얼굴을 어루만진다)

에바: "엄마. 과거 지구에서 그런 짓을 한 것은 엄마가 미래의 나인 줄 알았어. 너무 미안해. 엄마인줄 몰랐어. 이제는 절대로 떨어지지 않을 거야." (라감의 손을 꼭 잡으며)

라감: "그래, 내 사랑하는 딸. 그때 나는 너를 알아보지 못했으니, 미안해하지 마. 딸. 우리가 이렇게 다시 만났으니, 괜찮아. 너를 잃었던 시간이 얼마나 고통스러웠는지…. 이젠 함께야." (딸의 손을 꼭 쥐며 미소를 짓는다)

두 사람은 이렇게 서로의 존재를 확인하며, 마음 깊은 곳에서부터 떠밀려오는 감정의 물결을 나누었다.

영환은 에바와 라감의 재회를 지켜보며 마음이 복잡했다. 그는 라감을 바라보며 얼굴에 떠오르는 감정들을 숨기지 못했다. 처음에는 감격과 놀라움으로 가득 차 있었지만, 곧 그 감정은 과거의 상처로 변했다. 두 사람 사이에서 긴장감이 감돌던 중, 영환은 라감의 딸인 에바에게 먼저 말을 걸었다.

영환: "에바, 신기하다. 어떻게 여기서 만났지? 잘 지냈어?" (미소를 지으며)

에바는 영환을 보고 반가움에 미소를 지었다.

에바: "아저씨, 정말 오랜만에요. 잘 지내셨어요? 그동안 지구에는 많은 일이 있었어요."

두 사람은 서로의 안부를 물으며 짧게 대화를 나눴다. 그때, 옆에 에바를 껴안고 있던 라감은 말에 끼어들었다.

라감: "너, 영환, 네가 내게 한 짓을 잊은 줄 알아?" (목소리가 떨리며)

영환의 표정이 굳어졌다. 그는 한숨을 내쉬며 고개를 저었다.
영환: "라감, 그건 오래된 일이야. 그때는 우리가 서로를 이해하지 못했어."

라감: "이해하지 못했어? 네가 내 가족을 파괴했잖아! 어떻게 그럴 수가 있어?" (분노에 차서)

에바는 두 사람의 대화가 점점 격해지자, 중간에 끼어들었다.

에바: "엄마, 제발! 영환 아저씨, 그만 하세요! 지금 싸울 때가 아니에요." (절박하게)

그러나, 라감은 영환을 향한 분노가 쉽게 가라앉지 않았다.

영환: "라감, 네가 나를 어떻게 생각하든, 복수를 한 건 잘못했어, 미안해."

라감: "미안하다고? 그 한 마디로 모든 게 용서될 거로 생각해?" (쓴웃음을 지으며)

에바는 두 사람의 사이에 서서 두 손을 내밀었다.

에바: "제발, 인제 그만 해요. 우리는 모두 힘들었어요. 지금은 서로를 이해하고 도울 때예요."

라감은 한숨을 쉬고 영환에게서 고개를 돌려, 에바를 바라봤다.

라감: "딸, 넌 몰라. 이 사람은 우리 가족을 파괴한 장본인이야."

영환: "라감, 난 네가 왜 그렇게 생각하는지 알아. 하지만 나도 후회하고 있어."

라감은 영환을 노려보며 이를 악물었다.

라감: "후회한다고 해서 모든 것이 되돌아가지 않아. 네가 한 짓은 절대 용서받을 수 없어."

에바는 다시 두 사람을 진정시키려 노력했다.

에바: "엄마, 영환 아저씨. 우리는 지금 이럴 때가 아니에요. 무슨 상황이 앞으로 닥칠지 몰라요."

라감은 결국 한숨을 내쉬며 고개를 끄덕였다.

라감: "좋아, 딸. 지금은 가타부타할 때가 아니야. 하지만 영환, 네가 내게 한 짓을 잊지는 않을 거야."

에바: "영환 아저씨가 저지른 복수는 너무 잔인하고 끔찍했어요. 그래서 엄마는 아주 힘들었어요."

영환은 깊은 한숨을 쉬며, 에바를 바라보았다.

영환: "에바, 네 말이 맞아. 입이 열 개라도 할 말이 없어. 나도 네 엄마에게 사죄하고 싶어."

라감은 딸의 진심 어린 말로 마음이 조금씩 누그러졌다. 그녀는 영환의 사과를 들으며 여전히 복잡한 감정을 느꼈지만, 에바가 옆에 있으니 큰 힘이 되었다.

라감: "알겠어, 영환. 내가 당장 모든 걸 용서할 수는 없지만, 내 가족을 위해서, 노력해 볼게."

아담은 주위를 둘러보다가 이브를 발견했다. 그의 얼굴이 환해지고 기쁨이 번져 심장이 쿵쾅거렸다.

아담: "이브! 여기서 너를 다시 만나다니! 세상에!" (환하게 웃으며 이브에게 다가간다)

이브는 아담을 보고 눈물이 핑 돌았다. 그녀는 두 팔을 벌려 그에게 달려갔다.

이브: "아담! 정말로 너야? 이렇게 다시 만나게 될 줄 몰랐어." (눈물을 글썽이며)

그들은 서로를 껴안으며 재회의 기쁨을 나눴다. 그러나 아담의 눈길은 이브의 얼굴을 지나 어딘가 엉뚱한 곳을 향하고 있었다. 그는 그녀의 몸을 훑어보며 감탄했다.

아담: "이브, 넌 여전히 아름다워. 아니, 오히려 더 예뻐졌어. 특히…. 음, 너의 가슴이." (입가에 장난스러운 미소를 띠며)

이브는 잠시 당황했지만, 아담의 익살스러운 모습에 웃음을 터뜨렸다.

이브: "아담, 정말 너답다! 하지만 지금은 그런 얘기할 때가 아니잖아." (웃으며 그의 어깨를 살짝 밀친다)

아담은 그녀의 말을 듣고 장난스럽게 고개를 끄덕였다.

아담: "알겠어, 알겠어. 그런데 이브, 내가 진짜 하고 싶은 말이 있어. 너랑 다시 만나서 정말 기뻐. 네가 지금 내 곁에 있어서 너무 좋아." (진지한 눈빛으로)

이브는 그의 말에 볼이 빨개졌다. 그녀는 그의 손을 잡고 고개를 끄덕였다. "나도 그래, 아담. 네가 있어서 정말 다행이야. 우리 함께라면 어떤 어려움도 이겨낼 수 있을 거야."

하지만 아담은 이브의 말을 듣고 또다시 장난기 어린 표정을 지었다. (윙크하며) "맞아, 맞아. 그런데…. 이브, 네 엉덩이도 여전히…. 환상적이야."

이브는 그의 장난에 웃음을 터뜨렸다. 그리고 웃으며 그의 팔을 툭 쳤다. "정말! 너 때문에 웃음이 끊이질 않아." 그들은 그렇게 장난스럽고 사랑스러운 분위기 속에서 재회의 기쁨을 만끽했다. 이브는 아담의 엉뚱한 매력에 웃음을 멈출 수 없었고, 아담은 그런 이브의 모습에 더욱 즐거워했다.

그때, 돌연 하늘이 찢어지듯 갈라지며 강렬한 빛이 쏟아져 내렸다. 그 빛 속에서 거대한 형체가 나타났다. 바로 태양신 'Ra'였다.

Ra의 등장과 함께, 하늘은 불타는 듯 붉은빛으로 물들었다. 그의 주위에는 타오르는 불꽃이 휘몰아쳤고, 마치 태양 그 자체가 내려온 것 같은 위엄이 느껴졌다. Ra의 얼굴은 웅장하고 장엄했으며, 그의 눈에서는 신성한 빛이 뿜어져 나왔다. 그는 공중에 떠올라 그들을 내려다보았다.

Ra의 목소리는 천둥처럼 울려 퍼졌다.

"나의 냄새로 너희가 이곳에 왔도다."

힘차고 웅장한 목소리로 동굴의 벽면이 떨렸다. Ra의 주위에는 다양한 물건들이 흩어져 있었고, 오래된 유적을 방불케 했다. 오른쪽에는 하늘로 불타면서 올라갔던 차원문 시계가 하나로 뭉쳐 우뚝 서 있었다. 그 시계는 신인류와 지구의 아이들이 전투를 벌인 뒤, 하늘로 올라간 시계였다. 그것들이 하나로 뭉치자, 자명종 시계처럼 빛나는 금속으로 만들어졌고, 기묘한 기어와 복잡한 메커니즘이 그 내부에서 끊임없이 돌아갔다. 시계 주위에는 시간의 흐름을 나타내는 듯한 여러 개의 작은 바늘들이 춤추듯 움직였다. 이는 시간과 공간을 초월하는 신의 능력을 상징했다.

Ra의 왼쪽에는 크리스털 지구의 각종 발전된 문명들이 무질서하게 쌓여 있었다. 에너지 공명 장치는 은빛으로 빛나는 구체 형태로 변했고, 희미한 파장이 끊임없이 퍼져 나갔다. 그 옆에는 알약들이 담긴 투명한 용기들이 줄지어 놓여 있었고, 각 알약은 다양한 색깔과 크기로 반짝였다. 또한, 크고 작은 캡슐도 쌓여 있었는데, 이것들은 크리스털 지구에서 휴대용 주거 시설로 사용되었던 것들이었다. 이는 신의 창조적 힘에 대한 통제력을 나타냈다.

신의 머리 위로는 거대한 차원문이 열려 있었는데, 그 문은 불타는 붉은 빛을 발하며 하늘과 땅으로 이어져 있었다. 차원문 주위에는 기하학적인 문양들이 빛나고 있었고, 그 문양들은 Ra의 존재와 함께 맥박처럼 뛰고 있었다.

이 모든 것이 Ra를 중심으로 둘러싸여 있었고, 주위로 펼쳐진 광경은 마치 고대와 미래가 한데 어우러진 듯한 모습이었다. 그 중심에서 모든 것을 내려다보며, 여섯 명의 인물들에게 신성한 위엄을 드러내니, 그들은 그 광경 앞에서 한동안 말을 잃었다. 그리고 숨죽이며, 눈앞에 갑자기 나타난 신에 두려움과 경외심을 동시에 느꼈다. 그 누구도 이 상황을 예상하지 못했고, 그 누구도 이 위엄 앞에서 움직일 수 없었다. 그들은 시간과 공간이 멈춘 듯, Ra의 존재에 압도되어 그 자리에 얼어붙었다.

Ra의 얼굴은 태양을 상징하며, 이는 그가 지닌 파괴적이면서도 생명을 주는 힘을 나타냈다. 눈은 경계심과 보호, 질서의 중요성을 나타냈다. 눈썹은 매일 뜨고 지는 지평선을 의미했고, 길쭉한 동공은 태양 광선과 같았다. 그리고 몸은 강인하고 근육질이었으며, 이 강력한 신체는 태양신으로서의 힘과 권위를 드러냈다. 신체는 금빛으로 빛나며, 태양의 찬란함을 보였다. 이 찬란함으로 발한 열기는 인간에게 생명력을 부여하고, 회복과 치유로 세상을 유지하지만, 동시에 지나치면 모든 것을 태워버릴 수 있는 파괴적인 힘도 지녔다.

신의 존재는 세상의 창조를 뜻하며, 통제의 힘으로 태양계의 균형을 유지한다. 내면은 균형 속의 이중성이라는 역설도 숨어 있으며, 태양계 신 중에서도 가장 위대하다.

Ra의 눈빛이 그들을 하나하나 스쳐 지나가자, 그들은 마음속 깊은 곳까지 꿰뚫리는 듯한 느낌이 들었다.

Ra는 천천히 말했다. "나는 태양신 Ra, 이 세상의 모든 빛과 생명을 지배하는 자다. 나의 빛은 이 세상을 비추고, 나의 힘은 모든 것을 창조하고 파괴한다. 나는 아침에 태어나고, 저녁에 잠들며, 매일 새로운 생명을 부여한다. 나의 빛 없이는 태양계에 아무것도 존재할 수 없다." 하늘에 천둥소리 같은 목소리가 울렸다. 그리고 빛나는 눈으로 고개를 들고 천장을 바라보며, 한 곳을 응시했다. "나는 이 세상의 중심이며, 태양계 신들의 왕이다."

한 발 앞으로 나아가며, 여섯 명의 인물들을 한 명 한 명 바라보았다. 그때, 영환이 먼저 용기를 내어 신에게 질문을 던졌다.

영환: "라, 당신은 이 모든 것을 창조했다고 하는데, 왜 세상이 이렇게 혼돈의 아수라장인지 설명해 줄 수 있습니까?"

Ra: "너희가 이해할 수 없는 이유는 간단하다. 인간의 시야는 좁고, 한정적이다. 내가 창조한 세상은 너희가 생각하는 것보다 훨씬 복잡하다. 그 모든 이치를 너희가 알 수는 없다."

에바가 그 말을 듣고 앞으로 나섰다. "하지만 우리가 느끼는 고통은 매우 아프고 따갑습니다. 현실적으로 우리가 왜 이런 고통을 겪어야 하는지에 대해 알 권리가 있다고 생각해요. 다시 묻겠습니다. 당신이 창조한 세상이 왜 이렇게 혼란스럽죠?"

Ra: "고통과 혼돈은 너희가 성장하고 배우는 데 필요하다. 세상이 완벽하다면, 너희는 성장할 수 없다. 겪는 모든 어려움은 더 강해지고, 더 지혜로워지기 위한 과정이다. 인간 중심 사고로는 너희가 자유 의지로 무언가를 선택하고, 그 선택의 결과로 혼돈과 질서를 만들어낸다고 생각하지만, 실은 그렇지 않다."

영환: "그렇다면 인간의 자유 의지로 인한 선택이 이렇게나 많은 고통을 낳는다는 것입니까? 왜 우리는 더 나은 선택을 할 수 없는 것일까요?" (신의 말을 곰곰이 생각하다 다시 물었다.)

Ra: "말귀를 못 알아듣는구나. 너희는 스스로 한정 짓고 있다. 두려움과 무지로 인해 그 가능성을 보지 못하고 있다. 내가 너희에게 준 자유 의지는 곧 무한한 가능성이다. 그것을 이해하고, 활용하는 것은 너희 자신에게 달려 있다. 너희는 항상 더 나은 선택을 할 가능성을 품고 있다."

에바: "하지만 당신의 계획 속에서 우리는 단지 작은 존재들일 뿐입니다. 우리 삶의 목적이 무엇인지, 이 혼돈 속에서 우리가 무엇을 추구해야 하는지 잘 모르겠습니다."

Ra: "너희 삶의 목적은 너희 스스로가 찾아야 한다. 나는 너희에게 길을 제시할 뿐이다."

영환과 에바는 라의 말을 들으며, 계속 질문했지만, 라의 답변은 간단하지 않아서, 깨닫기 어려웠다.

한편, 라의 뒤로 보이는 차원문이 밝게 빛나며, 그 너머로 현세의 모습이 어렴풋이 보였다. 라감, 영환, 에바는 그 장면에 매료되어 차원문 앞으로 다가갔다. 현세의 모습은 그들이 알고 있던 것과는 달랐다. 지구는 AI 로봇의 지배하에 혼돈의 도가니였다.

영환이 차원문을 통해 현세를 보며 입을 열었다.

영환: "저기 봐. 저놈도 나처럼 복수하려고 AI 로봇으로 지구를 쑥대밭으로 만들어놨네." 그는 어색하게 웃으며 머리를 긁적였다. "호진이라는 이름을 가졌네…. 그나저나 저렇게 되는 걸 보니, 괜히 머쓱하다."

에바가 고개를 저으며 말했다.

에바: "아저씨, 그만 봐요. 우리가 해야 할 일은 우리의 역할을 찾는 거예요. 저 사람도 붉은 지구를 보면서 느끼는 바가 있을 거예요."

라감이 고개를 들어 라를 바라보며 질문했다.

라감: "최종 신이 있다는 얘기를 들은 적이 있어요. 당신은 그것에 대해 알고 있나요?"

Ra: "최종 신? 나도 그것에 대해 명확히 알지는 못해. 다만, 내가 말해줄 수 있는 것은 상부 보고체계가 있다는 것뿐이다. 그 체계가 어떻게 작동하는지는 나조차도 알 수 없다."

라감은 실망스러운 표정을 지으며 다시 물었다. "그렇다면 우리가 궁금해하는 많은 것들에 대해 답을 얻을 수 없다는 말인가요?"

Ra의 표정이 갑자기 바뀌었다. 그리고 성난 듯한 목소리로 말했다. "그만! 질문은 하지 말고, 시험을 치러라!"

얼굴이 다시 차분해지며 이중인격의 면모가 드러났다. 그는 다시 부드러운 목소리로 덧붙였다. "너희가 이 시험을 통과하면, 더 많은 것을 알게 될 것이다. 지금은 그냥 시험에 집중하거라."

영환과 에바, 라감은 서로의 얼굴을 바라보며 놀라움과 당혹감을 감추지 못했다. 신의 성격이 순식간에 바뀌자 어찌할 바를 몰랐지만, 그들은 어쨌든 시험을 봐야 한다는 점을 알게 되었다.

아담은 이 상황이 너무 기이해서, 질문하지 말라는 태양신 라에게 또 다른 질문을 던졌다. "여기서 무슨 시험을 본다는 거야?"

Ra의 표정이 난데없이 찡그려졌다. "잠깐만, 일단 화장실 좀 갔다 와야겠어." 아담은 눈을 동그랗게 뜨며 놀란 표정을 지었다. "신도 화장실을 간다고?"

Ra가 어깨를 으쓱이며 포탈을 열어 화장실로 걸어갔다. 잠시 후, 다시 돌아와 원래의 위엄 있는 표정으로 말했다. "무슨 시험인지는 하다 보면 알게 될 거다."

에바가 신경이 쓰이는 듯 물었다. "그럼, 합격과 불합격에 대해 알려줄 수 있나요?"

Ra가 장난스러운 미소를 지으며 대답했다. "안 알려줘."

그의 알 수 없는 언행에 모두 잠시 당황했다. 에바는 조금 더 진지하게 물었다. "이건 중요한 문제잖아요. 결과가 어떻게 되는데요?"

Ra가 웃음을 터뜨리며 말했다. "그냥, 시험을 치르면서 알아가 봐라. 결과는 직접 경험해봐야 하는 거니까."

모두가 어리둥절한 표정으로 라를 다시 바라보았다. 신은 그런 반응을 즐기는 듯 보였다. 장난기 어린 말투와 태도는 신으로서의 위엄과는 상반되게 느껴졌지만, 그 안에 감춰진 깊은 의미와 의도가 있다고 생각했다.

질문하지 말라는 것을 까먹었다고 생각하며, 영환은 다시 입을 열었다. "왜 우리가 선택받은 자들인가요?"

Ra의 대답을 기다리며, 아담은 엉뚱한 생각이 떠올랐는지 웃음을 참지 못하고 말을 덧붙였다. "혹시 우리가 당신의 딸과 아들이라서 그런 건가요?"

Ra가 피식 웃으며 고개를 저었다. "그런 거 아니다. 단순한 뺑뺑이였어."

이번에도 모두 넋 나간 표정으로 침을 흘렸지만, 에바와 라감만은 서로를 보며 미소를 지었다. 그들은 이 상황에서도 자신들이 지구에서 생각했던 것과 신의 생각이 일치한다며, 강한 자부심을 느꼈다.

에바: "역시 나였어. 선택받을 운명이었지!"
라감: "이 모든 것은 우리에게 주어진 기회야!"

Ra가 그런 모습을 보고는 눈빛을 반짝이며 말했다. "그렇다, 너희 모두 우연히 선택된 것일 뿐이다. 하지만 그 안에서 의미를 찾는 것은 너희의 몫이지.", "이제 제발 질문은 그만하고, 시험을 시작하자! 너희는 결국 모든 것을 알게 될 테니까."

모두가 라의 말을 듣고 긴장한 표정으로 땀이 흐르는 손을 닦아냈다. 그들은 갑작스러운 상황에 불안한 마음을 다잡으려 더 많은 질문을 하고 싶었지만, 이제 그들은 그 질문에 대한 답을 직접 찾아 나서야 했다.

한편, 재욱은 그 마약같이 심취한 냄새에서 깨어나, 분통을 터뜨렸다. 지구가 멸망 직전인데 또 다른 라감의 영혼이 나타나지 않자, 무척 당황하며 본인의 역할을 계속 찾았다 "나는 누구인가? '그 답을 찾기 위해 나는 끊임없이 싸운다. 복수와 분노는 내 삶의 일부지만, 그것이 나의 전부는 아니다. 나의 자존감을 찾기 위해, 나는 계속해서 나아가야 한다.' 그 답을 찾기 위해 나는 멈추지 않을 것이다."

그 순간, 그 냄새가 다시 한번 코끝을 찔렀다. 그는 처음으로 그 냄새를 맡았을 때 느꼈던 혼란과 공포를 떠올렸다. 그러나 이번에는 달랐다. 그는 개미가 페로몬을 따라 길을 찾듯이, 그 냄새를 전과 같이 따라가기 시작했다. 무의식적으로 헤엄치며 그 향기를 쫓아 움직였다. 냄새는 점점 더 강해졌고, 그의 감각은 날카로워졌다. 수면 위로 올라와 해변에서 순간 이동하여, 복잡한 도시의 골목길을 빠져나갔다. 폐허가 된 건물들을 지나쳐 간 그의 주변은 이미 붉게 물들어 있었다. AI 로봇들이 점령한 지구는 붉은 지구로 변했고, 거리 군데군데에는 파괴된 로봇과 시체 그리고 잔해들이 널려 있었다. 잠시, 냄새가 흐릿해지자 지하철 터널 어둠 속에서 잠시 헤 맸다.

재욱은 곧 그 냄새에 다시 집중하면서, 점점 더 터굴 속 깊은 곳으로 향했다. 마침내, 그가 도착한 곳은 이집트의 고대석 근처였다. 그곳은 석이 깊게 박혀, 공간을 이룬 터널이었다. 그 안에 방화문을 열자 오래되고 낡은 창고가 있었다. 창고 안은 어두웠고, 먼지와 녹슨 기계들이 무성했다. 그리고 그는 창고 한구석에서 빛나는 무언가를 발견했다. 그것은 태양신 라의 조각상이었다. 조각상은 태양의 열기를 상징하듯, 금빛으로 빛나고 있었다. 재욱은 조각상 앞에 서서 그것을 응시했다.

그러자, 강렬한 정신적 연결을 느꼈다. 마치 Ra가 내면 깊숙이 침투하여, 그의 생각과 감정을 읽어내는 것 같았다. 조각상 주위에는 신의 강력한 에너지가 흘렀고, 그 에너지는 재욱을 강하게 끌어당겼다.

"뭐야 이거?" 재욱은 중얼거렸다. 그 순간, 그의 머릿속에 라의 목소리가 울려 퍼졌다.

"나의 냄새로 너희가 왔도다." 라의 목소리는 웅장하고 장엄했으며, 존재를 부정할 수 없는 강렬한 힘이 느껴졌다. 재욱은 그 목소리에 압도당하며, 그 자리에서 무릎을 꿇었다. 그의 복수심은 그새 사라지고, 대신 호기심과 신비함이 자리 잡았다.

재욱은 조각상에 더욱 가까이 다가갔다. 조각상의 냄새를 깊이 들이마시자, 그의 눈앞에 환영이 떠올랐다. 사후세계에 있는 6명과 태양신 라의 형상이 점점 더 선명하게 보이기 시작했다. 라의 장엄한 모습과 함께, 동굴 속에 모여있는 여섯 명의 인물들이 그에게 다가오는 듯한 느낌을 받았다. 그는 눈을 감고 그 환영에 더욱 집중했다. 그러자, 정신적으로 연결이 완성되며, 동굴 속 풍경이 그의 의식 속으로 완전히 들어왔다. 재욱은 조각상에 있는 Ra의 눈을 통해 사후세계에 있는 6명과 실제로 마주하게 되었다. 라감, 에바, 영환, 아담, 이브, 할머니가 동굴의 한 가운데서 Ra를 바라보고 있었다.

재욱은 놀라서 주위를 둘러보았다. "이게 대체…. 어떻게 된 거지? 엄마, 에바?" 그가 당황스러워하며 묻자, 6명 모두 그의 목소리를 들었다. 그는 엄마인 라감을 보자마자 어린 시절처럼 그녀에게 달려가고 싶었다. "엄마!" 울부짖으며, 눈에는 이미 눈물이 고여 있었다. 그는 그녀의 품에 안기며, 어릴 적에 느꼈던 따뜻함과 안도감을 찾고 싶었다. 그 순간만큼은 세상에 둘만 존재하는 것 같았다. 그리고 그의 시선이 에바에게로 옮겨지자, 눈물로 흐릿해진 눈빛 속에서 분노가 피어올랐다. '엄마를 죽인 그녀.' 그는 마음속 깊은 곳에서부터 분노와 복수심이 솟아올랐으나, 동시에 이복 누나라는 애매한 관계가 그를 주저하게 했다.

라감은 재욱의 목소리를 들으며, 눈물이 맺힌 채, 울먹였다. "아들, 너도 여기 있는 거야?, 어떻게 너도 여기 올 수 있었니?" 그녀의 목소리에는 놀라움과 기쁨도 그득했다. "너도…. 죽은 거니?" 그녀는 떨리는 목소리로 물었다.

에바는 둘의 대화를 듣고 그제야 이복동생에게 말했다. "재욱, 너도 여기에 어떻게 온 거야?" 그녀는 믿기지 않는다는 표정을 지었고, 영환은 재욱의 목소리를 들으며, 도대체 라감의 영혼은 몇이야? 라고 속으로 되뇌었다.

재욱은 혼란스러운 감정 속에서 주변 사람들을 돌아보며 물었다. "엄마, 나 아직 안 죽었어. 내 목소리 들려?, 여기 크리스털 지구일 때 세운 고대석 근처의 창고야. 근데, 여기서 다들 도대체 뭐 하는 거야?" 그의 목소리에는 혼란과 절망, 그리고 그 속에서 답을 찾고자 하는 의지도 섞여 있었다.

이복 누나인 에바가 오해를 풀고자 먼저 그에게 다시 말했다.

"재욱, 내가 왜 엄마를 죽여야 했는지 설명할게. 내가 금성에서 유물을 활용해, 미래의 차원문으로 들어가 지구를 본 적이 있어. 그곳에서 나는 엄마가 고대의 종족으로서 지구를 지키지 않았다는 것을 알게 되었어. 그리고 그곳에서 엄마가 미래의 '나'라고 생각했던 거야"

"나는 엄마를 죽이는 것이 우리 모두와 지구를 구하는 길이라고 믿었고, 그때의 나는 나 자신을 죽여야 한다고 생각했어."

재욱은 여전히 혼란스러웠다. "에바, 네 말이 이해가 잘 안 돼. 어떻게 그런 결론에 도달한 거야? 엄마를 죽이는 것이 어떻게 우리를 구할 수 있다는 거지?"

라감이 침착히 끼어들었다. "재욱, 에바가 그런 결정을 내린 것은 오해 때문이었어. 하지만 그때의 그녀는 최선을 다해 지구를 지키려 했단다. 에바의 행동을 용서해줄 수 있겠니? 그녀는 너의 누나이자, 내 딸이야. 우리가 서로를 이해하고 용서하는 것이 이 상황을 극복하는 유일한 방법이란다."

재욱은 깊은 한숨을 내쉬며, 주먹을 쥐고 어머니의 말을 곱씹었다. "엄마, 에바를 용서하기가 쉽지 않아요. 하지만 이제 모든 것을 이해하려고 노력해 볼게요."

에바는 눈물을 글썽이며 재욱을 바라보았다. "재욱, 정말 미안해. 그때 나는 혼란스러웠고, 지금에서야 선택이 잘못되었음을 알지만, 그때는 그것이 옳다고 믿었어."
재욱은 에바의 말을 들으며, 마음속 깊은 곳에서 용서의 마음과 복수의 불씨가 같이 피어오르는 것을 느꼈다.

라감은 아들과 딸에게 따뜻하게 말했다. "아들. 너희 둘이 서로를 이해하고 용서했으면 좋겠어. 그래야 에바와 나의 영혼은 평화를 찾을 수 있을 거야."

재욱은 내키진 않지만, 우선 엄마의 말을 받아들였다.

동굴 안의 사람들은 조용히 그들의 대화를 들었다. 그리고, 이곳이 허울뿐인 만남의 장소가 아니라, 현세와 사후세계를 초월하여 운명이 교차하는 지점이라는 곳임을 실감할 수 있었다.

라감은 다시 입을 열었다. "아들, 시간이 얼마나 지났는지는 모르겠지만, 살아있어서 다행이구나! 그리고 우리가 여기 있는 이유는 아직 몰라. 하지만 분명히 우리가 알아야 할 무언가가 있어. "

영환은 진지한 얼굴로 에바를 바라보며 고개를 끄덕였다. "우리가 여기 모인 것은 우연이 아닐 거에요. 함께 이 상황을 해결해야 합니다. "

아담은 여전히 장난기 어린 표정을 지었지만, 이번에는 진지한 목소리로 말했다. "맞아요, 재욱. 우리가 여기 있는 이유는 알게 될 겁니다. 그리고 우리가 그 이유를 찾기 위해 함께 해야 합니다. "

이브는 사랑스러운 눈길로 재욱을 바라보며 말했다. "우리는 서로 도우며, 이 상황을 헤쳐 나가야 해요. 당신도 함께 해주세요 "

할머니는 지혜로운 눈으로 재욱을 바라보며 고개를 끄덕였다. "이 곳에서의 경험은 당신에게 많은 것을 가르쳐 줄 것입니다. 함께 해요, 재욱."

재욱은 그저 입이 딱 벌어질 정도로 말도 안 되는 이 상황이 너무 혼란스러워 조각상에 잠깐 눈을 뗐다. 그리고 향기를 따라갔던 그 길을 되돌아볼 수밖에 없었다.

# 2

## 7개의 시험

어두운 동굴 속에서, 태양신 Ra는 돌연 사라졌다가 다시 나타났다. 이번에 나타난 Ra는 이전의 위엄 있는 남성 모습이 아니라, 장미꽃처럼 아름다움을 지닌 여성의 모습으로 변해 있었다. Ra는 여전히 찬란한 적빛을 발하며, 천상의 존재임을 드러냈다.

영환은 놀란 눈으로 Ra를 바라보았다. "신이 남자 아니었어? 왜 갑자기 바뀐 거지? 여자였어?"

에바도 혼란스러운 표정으로 Ra를 쳐다보았다. "우리가 알고 있는 예수님이나 하나님의 형상과도 다르잖아. 이건 도대체 뭐지?"

라감은 머리를 갸우뚱하며 덧붙였다. "정말 혼란스럽군요. 어떻게 이런 일이."

아담과 이브는 서로를 바라보며 중얼거렸다. "왠지 전에 이 모습을 본 것 같은데…. 우리가 태어나기 전에 마주친 적이 있던 것 같아. 아닌가?"

이브는 아담을 향해 속삭였다. "맞아, 우리 기억 속에 어렴풋이 각인된 그 모습…. 아닌가?"
아담은 고개를 끄덕이며 대답했다. "응, 그런 것 같아. 뭔가 익숙해."

그 순간, 태양신 Ra가 다시 변신하더니, 이번에는 더 기이한 형상으로 나타났다. 그리고 불만이 가득한 목소리로 말했다. "이건 또 뭐냐? 너희가 지구에서 뭘 배운 거냐?" 화가 난 듯, 다그쳤다. "내가 뺑뺑이 돌린 효과가 없다니⋯. 이게 아름다워 보일까 봐 너희가 알기 쉬운 모습으로 왔는데, 그럼 지금 이건 또 어떠냐?"

여섯 명이 Ra를 바라보며 긴장한 표정으로 서 있었다. Ra는 그들의 마음을 읽듯이 냄새를 맡고는 말했다. "굳이 대답하지 않아도, 이미 너희 냄새로 마음을 안다."

모녀가 의아한 표정으로 되물었다. "우리의 마음이 뭔데요?" 에바가 묻자 Ra는 썩은 웃음을 날리며 태양과 같이 강한 빛으로 화답했다. 그 빛에 눈이 부신 여섯 명은 순간적으로 시각을 잃은 듯했다.

영환은 당황하며 대답했다. "아니, 지금도 멋있어요!. 그냥⋯. 예상 밖이라서."
에바도 조심스럽게 말했다. "우리가 생각한 신의 모습과 너무 달라서 놀랐을 뿐이에요. 멋있긴 했어요."
라감은 고개를 끄덕이며 덧붙였다. "우리가 잘못 생각한 것 같아요. 신의 진정한 모습을 이해하기엔 아직 부족한가 봐요."

Ra는 지구의 이집트 출신이 있는지 물으며 그들 곁으로 다가가 직접 냄새를 맡았다. "이상하게 이집트는 내 정보를 알고 있는 것 같단 말이지," 그는 중얼거렸다. "그 녀석들을 라감의 영혼으로 선정해야 했는데, 아쉽군."

아담은 당황하며 손을 흔들었다. "이번에도 그 빛을 쏘지 말아 주세요! 충성을 다하겠습니다!" 그는 갑자기 태세 변환하며 Ra에게 절을 올렸다. 그 모습에 모두가 어이없어했다.

Ra는 얼굴에 미소를 지으며 모습을 거듭 바꾸었다. 그러자 아담도 자기도 할 줄 안다며 몸을 작아졌다 커졌다 하며 우스꽝스러운 동작을 취했다. 이브는 그 모습을 보고 웃음을 터뜨렸다.

그 순간, 설명에 목메는 할머니가 등장했다. "금성에서 지구의 이집트 문명을 공부했단다," 그녀는 열정적으로 설명을 시작했다. "이집트 문명의 상징성은 아주 복잡한데, 신화 속의 태양신 Ra는…."

Ra는 흡족한 표정으로 할머니의 긴 설명을 들었다. "좋아, 상으로 태양 빛 알약을 주마. 나중에 먹으면 도움이 될 것이다."

에바는 불만스러운 표정으로 말했다. "중도의 길이 아니에요, 치사해요! 불공평하잖아요!" Ra는 웃음을 터뜨리며 대답했다. "공평함을 기대하지 마라, 에바. 모든 것은 변하고, 너희가 이 시험을 통해 배워야 할 것도 그것이다." 그리고 그들을 바라보며 깊은 한숨을 내쉬었다. "너희 인간들은 참으로 무식하구나. 내가 어떤 모습으로 나타나든, 그 본질은 변하지 않는다는 것을 알아야 할 텐데."

Ra는 다시 한번 변신하며, 더 강렬한 빛을 발산했다. "하지만 나는 너희에게 진정한 모습을 보여줄 것이다. 이제 모든 편견을 버리고, 진실을 받아들여라."

태양신 Ra의 말은 마치 천부적인 지혜의 소리처럼 울려 퍼졌다. 그의 목소리는 모든 것을 통찰하는 듯했고, 강력한 권위를 지니고 있었다.

"무생물도 생물이다." Ra의 목소리는 공중에 맴돌았다. "페인트를 칠하는 순간, 그 페인트가 칠해진 벽은 생명을 불어넣는다. 이것이 세상의 참된 모습이다." 그리고 Ra는 계속해서 말했다. "영환이가 탁자를 만들 때, 목재가 재욱이 되고, 페인트가 라감이 되는 순간, 새로운 생명인 아담이 탄생한다. 이것이 바로 세상의 고요한 숨결이다."

Ra는 자신의 말을 이어가며 크리스털 지구 ~ 원시시대부터 현재까지의 푸른 지구 ~ 붉은 지구 등 세상의 변화를 가르쳤다. "너희는 발전한다고 생각하지만, 발전하지 않는 것이 진정한 발전이다. 파괴가 곧 창조이다."

이러한 대화는 마치 우주의 비밀을 해석하는 듯했다.

"존재의 변화와 성장이란 무엇일까?" 영환은 고요히 눈을 감고 생각에 잠기고 있었다.

그 순간, Ra는 하늘이 밝게 햇빛으로 타오르는 가운데, 여기저기 핑크빛으로 물든 장소로 바뀠다. 그리고 곧바로 찬란한 불꽃의 바다로 변했다. 그리고 또다시 여섯 명은 프라이팬 위에 올려져, 뜨거운 가스레인지 불길에 휩싸였다. 그들의 얼굴은 고통으로 일그러졌고, 몸은 불꽃 속에서 뒤틀려 울부짖었다.

그들은 행복한 순간에 취했다가, 참담한 비명으로 가득했다. 그들의 눈은 절망으로 가득 차 있었고, 그들의 영혼은 불타는 고통 속에서 끝없이 울렸다.

이 모든 광경을 지구에서 바라보던 재욱은 당황스러워하며 말했다. "저기 같이 없어서 정말…. 다행이다."

이 모든 것을 지켜보던 태양신 Ra는 고요했다. 그리고 말했다. "결국, 너희가 생각하는 그딴 거는 없다. 내가 환경을 만들면 그만이다." 그의 목소리는 행성들을 관통하며, 태양계의 끝까지 울렸다.

이브가 신의 뜻을 정확히 모르겠으나, 그럼 라감의 영혼의 뜻은 무엇이냐고 물었다. 그러자, 태양신 Ra는 아주 사랑스럽게 웃었다.

"라감의 영혼의 뜻을 묻는군요?" Ra의 목소리는 부드럽고 따뜻했다. "Ra:gam이 아닐까요? Ra:태양신을 따르는 고래 떼."

태양신은 어리둥절한 그들을 바라보며 고래가 헤엄치듯이 팔 동작을 천천히 휘저으면서 우아하게 웃음을 터뜨렸다. 그의 모습은 마치 바다 위를 느긋하게 헤엄치는 고래 떼와 같았다. "라감의 영혼의 뜻은 태양신 Ra:gam으로 나를 따르는 고래 떼라는 말입니다. 즉, 나를 따른다면, 우리가 함께 어울려 삶을 즐기고, 서로를 이해하고 사랑하게 되는 것이지요."

4명의 여자인 이브, 에바, 라감, 할머니는 태양신의 Ra:gam이 고래 떼가 아니겠냐는 우스꽝스러운 말에 반신반의하면서 얼굴에 작은 미소를 지었다. 그러나, 3명의 남자는 씁쓸한 웃음을 지었다.

에바가 손을 들며 질문했다. "라감이라는 이름을 가진 엄마는 Ra:gam과 운명적으로 연결된 걸까요? 혹시 이게 진짜 의미가 있는 건가요?"

Ra는 미소를 지으며 대답했다. "그것도 너희가 지은 이름일 뿐이다. 단순한 우연의 일치일 뿐."

라감은 그 말을 듣고 고개를 끄덕이며 말했다. "그래도 이런 이름을 지어준 부모님께 감사하고 뿌듯하네요."

Ra는 그 말을 듣고 고개를 절레절레 흔들며 말했다. "그것도 감사할 필요는 없다. 미리 힌트를 주자면, 너는 전생에 너 부모의 부모였다. 그러니 생각의 틀에 좀 제발 갇히지 말아라."

라감과 에바는 Ra의 말을 듣고 충격에 빠졌다. 자신들의 존재와 관계에 대해 새로운 진실이 그들 앞에 펼쳐져 세계관을 완전히 뒤흔들었다.

Ra는 계속해서 말했다. "너희는 서로 연결되어 있지만, 그 연결은 너희가 생각하는 것보다 훨씬 더 복잡하고 심오하다. 이제는 그 틀을 벗어나서 새로운 시각으로 세상을 바라보아라."

라감은 전생에 부모의 부모였다는 말이 그녀의 마음을 뒤흔들었다. 에바는 그런 어머니를 바라보며 말했다. "엄마, 도대체 우린 어떤 관계였던 걸까?"

라감은 딸의 손을 잡으며 말했다. "에바, 우리의 관계는 우리가 생각하는 것보다 더 깊고 복잡한 것 같구나. 하지만 그건 우리에게 새로운 기회를 줄 수 있다는 뜻이기도 해."

창고 주변을 살피던 재욱은 조심스럽게 Ra에게 물었다.

"Ra, 현세의 이집트 고대석은 태양신과 어떤 상호관계가 있습니까?"

Ra는 그의 질문에 미소를 지으며 대답했다. "재욱, 너는 날카로운 질문을 하는구나. 여기도 그것과 비슷한 고대석이 있단다. 이곳의 고대석은 현세의 이집트 고대석과 깊은 관련이 있지. 그것들은 서로 다른 차원에서 연결되어, 현세와 사후세계의 비밀을 풀기 위한 열쇠이다."

재욱은 조각상에 고개를 끄덕이며 계속해서 질문했다. "그렇다면, 우리가 이 고대석을 통해 무엇을 알게 될 수 있습니까?"

Ra는 잠시 침묵을 지키다가 답했다. "이 고대석은 너희가 이해할 수 없는 수준의 지혜와 힘을 담고 있다. 그것들은 우주의 근원과 연결되어 있으며, 너희가 그 비밀을 풀 때마다 새로운 지식과 능력을 얻게 될 것이다."

그 말과 함께 Ra는 다시 신비한 미소를 지으며 그들을 바라보았다. 그 미소는 한없이 자애로우면서도 어떤 심오한 비밀을 담고 있는 듯했다. 여섯 명은 그의 미소를 보며 무언가 특별한 일이 일어나려 한다는 예감을 강하게 느꼈다.

"다시 또 말하지만, 너희는 시험을 봐야 한다.", "너희 능력을 시험할 것이다, 하지만, 시험 장소와 규칙에 대해선 아무것도 알려주지 않겠다. 그저 너희의 본능과 지혜, 그리고 신의 냄새를 따르길 바란다."

신은 다시 미소지었지만, 오히려 동굴 안은 더욱 무거워졌다.

"나의 냄새는 언제나 너희와 함께할 것이다. 그리하면 너희는 이 시험으로 더 강해지고, 더 위대해질 것이다."

"자, 이제 시험 규칙을 알려주겠다," 그의 목소리가 동굴 안에 울려 퍼졌다.

"이 신, 정말 이상하군. 자꾸 이랬다저랬다 하니…. 본인이 하는 말을 까먹은 건가?." 라감이 중얼거리자, 에바가 고개를 끄덕이며, 태양신에 짜증을 냈다. 그들은 변덕스러운 신의 행동을 보니, 짜증이 솟구쳤고 당황스러웠다.

Ra는 그녀들의 말을 못 들은 척하며 말을 이어갔다. "7명의 영혼이 포털을 통해 시험장으로 들어간다. 협력과 조화가 중요하기 때문에 시험은 모두 동시에 치른다!"

여섯 명은 긴장된 얼굴로 서로를 바라보았다. 그러나 그 순간 Ra
는 갑자기 손을 들어 올리며 말을 바꾸었다. "잠깐, 생각이 바뀌었
다. 한 명씩 들어가는 것이 더 흥미롭겠군."

에바가 놀란 얼굴로 물었다. "무슨 뜻이죠? 우리 다 같이 들어가
는 게 아니었나요?"

Ra는 고개를 젓고 미소를 지으며 대답했다. "이제부터는 한 명씩
들어가도록 하겠다. 각자 개별적인 시험을 치르도록 하라. 첫 번째
는…."

라감이 짜증 섞인 목소리로 말을 끊었다. "정말 이랬다저랬다 하
시네요. 계획이 도대체 뭐죠?"

Ra는 못 들은 척하며 계속 말을 이어갔다. "첫 번째는 영환이다.
그다음 에바, 라감, 아담, 할머니, 재욱 순으로 들어가라."

영환이가 움직이려다가 어디로 가야 할지 멈추자 Ra가 다시 말을
이었다. "잠깐, 아니…. 그 순서도 마음에 들지 않는군. 다시 생각해
보니, 이브부터 들어가는 게 좋겠다."

재욱은 불만 섞인 목소리로 "도대체 뭡니까, 왜 이렇게 변덕을 부
리시죠?"라며 조각상을 바라봤다.

Ra는 장난기 어린 미소를 지으며 말했다. "시험은 변덕스러워야 재미있는 법이지. 자, 이브, 너부터 시작해라."

"너희는 냄새가 나는 고대석으로 향해야 한다. 이 고대석은 영혼의 텔레파시로 서로 연결되어 있다. 7명의 영혼이 모두 통일되면 포탈이 열릴 것이다."

참가자들은 Ra의 말을 귀담아들으며 고대석을 찾아 나섰다.

영환은 화성의 선구자답게 차분하고 진지하게 고대석을 향해 걸어갔다. 그는 자신의 소임과 책임을 깊이 생각하며, 걸음마다 결의를 다졌다. 에바는 라감의 옆에서 함께 걸어가며 조용히 손을 잡았다. 그녀는 라감과 함께 있을 때 느꼈던 안정감과 사랑을 떠올리며, 앞으로의 여정에 대한 두려움을 떨쳐내려고 노력했다.

라감은 고대석을 향해 걸으며, Ra의 변덕스러운 지시가 짜증 나서 억누르려 애썼지만, 한편으로는 엄마로서, 그리고 라감의 영혼의 일원으로서 자신의 역할을 다하기 위해 마음을 다잡았다.

아담은 여전히 가벼운 농담을 던지며 걸어갔다. 그는 이브와 함께라면 어떤 어려움도 극복할 수 있을 것이라 믿으며 걸음을 옮겼다. 이브는 아담을 바라보며 미소를 지었다. 그녀는 아담의 농담에 웃음을 터뜨리면서도, 그와 함께 있을 때 느껴지는 따뜻함과 사랑을 간직하며 앞으로 나아갔다. 할머니는 금성 출신의 지혜를 바탕으로 고대석을 향해 걸어갔다. 그녀는 그동안 쌓아온 지식이 이번 시험에 쉽게 통과할 거라며 조용히 걸음을 옮겼다. 모두가 동굴 속 구석에 있는 고대석으로 걸어갈 때, Ra는 재욱에게 말했다.

"너는 지구에서 시험을 치르게 될 것이다. 지구의 고대석 뿌리를 찾아 막다른 길로 들어가야 한다."

어둠이 깔린 동굴 속, 6명의 영혼은 드디어 고대석 앞에 섰다. 이들은 서로를 향한 강렬한 에너지를 느끼며, 현세에서 고대석의 뿌리에 도착하지 못한 재욱까지도 텔레파시로 연결되었다. 그 순간, 고대석이 서서히 빛을 발하기 시작했다.

먼저, 할머니가 서 있는 고대석이 은은한 금빛을 뿜어냈다. 그녀의 지혜와 인식이 빛으로 변해 주변을 밝혔고, 그 빛은 천천히 주변 고대석으로 퍼져 나갔다. 이브가 서 있는 고대석은 부드럽고 따뜻한 분홍빛으로 물들었다. 그녀의 애정과 소속감을 상징하는 이 빛은 할머니의 금빛과 어우러졌고, 아담의 고대석은 강렬한 빨간빛으로 빛났다. 생리적 욕구와 열정을 담은 이 빛은 할머니와 이브의 빛과 조화를 이루며, 강한 에너지를 발산했다.

라감의 고대석은 순백의 빛으로 빛났다. 희생과 모성애를 담은 이 빛은, 다른 빛들과 어우러져 순수하고 고결한 에너지를 발산했다.

에바의 고대석은 맑고 청명한 파란빛으로 빛났다. 그녀의 진지함과 심미적 욕구를 담은 이 빛은, 동굴 속을 푸른 물결로 덮으며 다른 빛들과 조화를 이루었다. 영환의 고대석은 깊고 어두운 녹색으로 빛났다. 자아실현을 향한 그의 욕구를 상징하는 이 빛은, 다른 빛들과 어우러져 강한 생명력을 느끼게 했다. 그리고 지구의 고대석 뿌리에서 갈색의 빛깔이 사후세계로 넘어와 7개의 빛이 하나로 모이자, 고대석은 강렬한 빛을 발하며 점점 더 밝아졌다. 빛들이 서로 교차하며 어우러질 때, 고대석 중앙에서는 태양처럼 찬란한 빛이 뿜어져 나왔고, 그 주위에는 각자의 고대석에서 나온 빛들이 소용돌이치며 6개 고대석 중앙에서 포탈의 문이 열리기 시작했다. 빛의 소용돌이는 점점 강해졌고, 마침내 완전한 형태의 포탈이 그들 앞에 모습을 드러냈다. 포탈은 일곱 가지 색이 어우러진 눈부신 스펙트럼으로 빛났고, 마치 무지개처럼 아름다웠다.

이 빛의 연대는 그들 모두를 하나로 연결하고, 새로운 세계로 향하는 길을 열어주었다. 포탈 안에는 새로운 세계의 모습이 서서히 드러났다.

포탈이 열리자, 재욱은 Ra에 물었다. "나는 아직 고대석 뿌리 근처도 가지도 못했는데, 어떻게 영혼이 연결됐습니까?!" 그의 목소리에는 당혹스러움과 분노가 섞여 있었다. 그는 이마에 맺힌 땀을 닦아내며 다시 말했다. "뿌리 찾기가 얼마나 힘든 줄 아십니까? 이건 정말 말도 안 돼요. 도대체 어떻게 된 겁니까?" 재욱의 목소리는 점점 더 격앙되어갔다.

Ra는 그의 반응을 가만히 지켜보았다. 신의 눈은 여전히 신비롭게 빛나고 있었다. 그러더니 천천히 고개를 끄덕이며 입을 열었다. "일단 진정해라." 목소리는 침착하고 단호했다.

"네가 너무 느릿느릿해서 말이다," Ra가 잠시 미소를 지으며 말을 이었다. "그래서 네 영혼을 먼저 이들의 영혼과 합쳤다. 너는 아직 그곳에 도달하지 못했지만, 영혼은 이미 이들과 연결될 준비가 되어 있었다."

재욱은 Ra의 말을 듣고 이해되지 않아 혼란스러워 잠시 말을 잃었지만, 곧 입을 열었다.

"그러니까, 내가 너무 느려서 미리 결합한 거라고요?" 재욱은 약간 체념한 듯한 목소리로 물었다.

그러자, Ra는 답했다. "지구의 고대석 뿌리를 찾지 못한다면, 안내자를 보낼 테니 걱정하지 말라."

그리고 7명에게 지시를 내렸다.

"너희는 일곱 개의 시험을 통과해야 한다," 신은 엄숙한 목소리로 말했다. "각 시험은 너희의 영혼과 마음을 시험할 것이다. 이 시험으로 너희는 나의 존재와 세상의 이치를 깨닫게 될 것이다."

"방식은 각자 하나의 포탈을 통해서만 치를 수 있다. 나머지 5명은 관전자로 남아 동료의 시험을 지켜보게 될 것이다."

재욱은 조각상의 눈을 보며 금세 불만을 터뜨렸다. "무슨 시험이냐고! 지구는 지금 인공지능 로봇으로 멸망 직전인데, 무슨 의미가 있냐고!" Ra는 냉담하게 대답했다. "그럼 너부터 없애주겠다."

재욱은 이를 악물며 말했다. "알겠어요…. 시험을 보겠습니다."

Ra는 시험의 시작을 호루라기를 불며 말했다. "휙! 너희가 가장 중요하게 생각하는 것들을 말해보아라."

영환이 먼저 말했다. "저는 자아실현이 가장 중요합니다."
아담이 말했다. "저는 생리적 욕구, 특히 성욕이 전부입니다."
이브는 따뜻한 미소로 말했다. "저는 애정과 소속감이요."
할머니는 지혜로운 눈빛으로 말했다. "배움과 앎이 중요하답니다."
에바는 진지하게 말했다. "저는 심미적 욕구, 아름다움을 추구하는 중도가 중요합니다."
라감은 사랑스러운 표정을 지으며 말했다. "저는 안전, 특히 가족의 안전이 중요해요." 마지막으로 재욱이 조각상을 보며 힘차게 말했다. "저는 자존감이 중요합니다."
Ra는 고개를 끄덕이며 말했다. "좋다. 이제 너희의 시험을 본격적으로 시작하겠다."

먼저 이브가 고대석 중앙에 열린 영혼포탈로 천천히 걸어갔다. 나머지 5명은 관전자로 남아 그의 시험을 지켜보기로 했다. 재욱은 또다시 짜증 섞인 목소리로 말했다. "이 포탈로 영혼이 들어가면 나는 못 본다고 했잖아!"

Ra는 재욱을 무시하며 명령을 내렸다. "들어가라, 얼른. 시험을 치르기 위해."

이브가 터벅터벅 무거운 발걸음으로 포탈을 통과했다. 그리고 포탈이 닫히자, Ra는 나머지에 말했다. "너희가 가장 중요하게 생각하는 것들이 이 시험의 핵심이다. 잘 지켜보아라.", "모든 선택이 너희를 시험할 것이다. 그저 신의 냄새를 따라가라, 그 끝에서 진정한 깨달음을 찾을 수 있을 것이다."

포탈 속에서 이브는 자신만의 시험을 치렀고, 관전하는 이들은 그녀의 시험이 끝날 때까지 마음을 졸이며 지켜봤다.

## 2-1 무의식 속의 흐름

이브는 영혼포탈로 들어서자마자 새로운 공간에 서 있었다. 이곳은 자신의 고향인 금성의 한가운데처럼 보였다. 금성의 황금빛 하늘과 구름이 드리워진 대지는 신비롭고 환상적인 풍경을 자아냈다. 무의식 속에서 펼쳐지는 시험의 첫 번째 단계가 드디어 시작됐다. 그녀는 인간의 논리나 감정이 아닌, 존재의 근본적인 흐름을. 깨달아야 했다.

이브는 주변을 둘러보자 그때, 아담이 나타났다. 그는 장난기 어린 미소를 지으며 다가왔다. "이브, 우리가 여기서 무엇을 해야 하는지 알아?"

이브는 고개를 저으며 대답했다. "아니, 하지만 아마도 우리는 서로의 무의식 속에서 답을 찾아야 할 거야."

이브는 아담과 함께 걸음을 옮기며, 그의 손을 잡았다. 그 순간, 주변의 풍경이 변하며, 축구 경기장 한가운데에 서 있었다. 주위에는 관중의 함성과 환호가 가득했다. 경기장의 잔디는 완벽하게 손질되어 있었고, 하늘에는 거대한 스크린이 떠 있었다. 이브는 당황스러워하며 아담을 바라보았다. "이건 뭐야?"

아담은 웃으며 말했다. "이건 우리의 무의식 속에서 펼쳐지는 시험이야. 아마도 피파 시험인 듯?"

그들은 축구장 한가운데에서 지긋이 서로를 바라보았다. 이브는 마음속 깊은 곳에서 아담을 향한 애정과 사랑이 솟아오르는 것을 느꼈다. 그러나 동시에, 복합적인 감정들도 뒤섞여 있었다. 그녀는 아담과의 사랑을 확인하고, 그 안에서 신의 기억을 탐구해야 했다.

경기가 시작되자, 아담은 그녀의 환상 속에서 달아났다. 그리고 경기장 한쪽에는 브라질 팀, 다른 한쪽에는 독일 팀이 기합 소리를 내며 스타디움 양쪽에서 대기했다. 양 팀 모두 눈부신 황금빛 유니폼을 입고 있었다. 그러자 Ra는 두 팀 중 하나를 선택하라고 명령했다.

이브는 브라질의 화려한 기술과 독일의 철저한 조직력이 머릿속에서 교차했다. 브라질 팀의 '삼바'라는 자유분방한 공격과 화려한 개인기는 언제나 그녀를 매료시켰다. 반면에 독일 팀의 강력한 수비와 탄탄한 조직력에 이은 철저한 전략도 눈을 뗄 수 없었다.

"이브, 결정을 내릴 시간이야," Ra의 목소리가 그녀의 마음속에 울려 퍼졌다.

"나는 브라질을 고르겠어."라고 말하자, 경기장의 한쪽에서 큰 환호성이 터져 나왔다. 아담이 두 팔을 높이 들며 환호했다. "잘 골랐어, 이브! 브라질이라니! 이길 수 있어!" 브라질 팀의 선수들은 이브의 선택에 고무되어 기쁨의 춤을 추며 경기장으로 뛰어나갔다.

그들의 눈빛은 승리에 대한 확신으로 반짝였다. 상대 팀은 상대적으로 약팀인 중국이었다.

경기 시작 전, 양 팀 선수들은 필드에 나란히 서서 각자의 국가가 울려 퍼지는 순간을 맞이했다. 브라질 국가가 울리기 시작하자, 이브는 웃음을 참으며 립싱크를 하기 시작했다.

"Ouviram do Ipiranga às margens plácidas," 이브는 마치 실제 경기장에서 노래를 부르듯 입을 움직이며 연기를 펼쳤다. 그의 옆에 있는 팀원들도 하나둘 립싱크에 동참했고, 그들은 어깨를 흔들며 마치 콘서트를 즐기는 것처럼 보였다.

"De um povo heróico o brado retumbante," 이브는 더욱 입을 벌리며 립싱크를 이어갔고, 카메라가 이브의 얼굴을 클로즈업하자 더욱 진지한 표정으로 열창하는 척했다.

"전반전 시작이다" Ra의 목소리가 다시 울려 퍼졌다. "무의식 속의 흐름을 통해 너희는 진정한 자아를 발견하게 될 것이다."

경기가 시작되고, 이브는 브라질 팀의 놀라운 기량에 감탄을 금치 못했다. 특히 네이마르, 호나우두, 히바우두는 경이로운 플레이를 선보였다. 그들의 패스와 드리블은 의식적으로 하는 것과는 차원이 달랐다. 네이마르는 상대 수비수를 가볍게 제치며 드리블을 이어갔다. 그는 마치 공과 하나가 된 듯한 움직임을 보였다. 그의 발끝에서 나오는 패스는 정확하고 날카로웠다. 이브는 그가 무의식의 영역에 들어갔다며, 발을 껑충껑충 뛰며 소리를 질렀다. 마치 여자들이 오랜만에 만나 반가움에 어쩔 줄 모르는 것처럼, 이브는 기쁨을 억누르지 못했다.

호나우두는 필드를 자유롭게 누비며 상대 팀의 수비를 뚫고 나갔다. 공을 다루는 기술과 움직임은 무용수처럼 우아하면서도 강력했다. 이브는 그의 플레이를 보며 경탄을 금치 못했다. 히바우두는 중앙에서 경기를 조율하며, 날카로운 패스로 팀원들에게 연결했다. 그는 넓은 시야로 패스 하나하나가 결정적이었다. 이브는 그가 마치 경기 전체를 내다보고 있는 듯한 느낌을 받았다. 이들은 무의식의 극의에 빠져있는 것처럼 보였다. 네이마르의 드리블은 마치 예술 작품처럼 매끄럽고 유려했다. 호나우두의 움직임은 예측 불가하면서도 완벽한 타이밍을 자랑했고, 히바우두의 패스는 미래를 내다본 듯한 정확성을 자랑했다.

이브는 이들이 보여주는 차원이 다른 플레이에 감탄하며 속으로 생각했다. '이들은 무의식의 영역에서 경기하고 있어. 그들의 움직임은 신의 영역에 가까워.' 이브는 팀의 일원으로서 자신도 그 경지에 도달하기 위해 더욱 집중하며 경기에 임했다. 그리고 그들의 플레이를 보며 실감했다.

'사람들은 흔히 흐름 속의 인과관계와 개연성, 즉 시간의 연속성에만 중점을 두지만,', '무의식의 영역도 이렇게나 중요한 것이구나.'

경기장을 가로지르는 공의 궤적 하나하나, 선수들의 발놀림, 그리고 그사이에 얽힌 수많은 선택과 반응들은 단순히 계산된 움직임이 아니었다. 이브는 그들이 경기에서 보여주는 직관과 본능, 무의식적인 결단이야말로 진정한 차이를 만드는 힘임을 깨달았다. 그녀는 그들의 무의식이야말로 인과관계와 시간의 연속성을 넘어서는 또 다른 차원의 힘임도 인식했다.

'이 선수들은 순간순간을 살아가며 그 속에서 무한한 가능성을 발견하고 있어. 그들의 무의식은 반응이 아니라, 진정한 창조의 영역이야.'

'나도 그들과 함께 이 흐름 속에서 진정한 의미를 찾아야 해,' 그녀는 마음속으로 다짐하며 더욱 경기에 몰입했다. 그 순간, 그녀의 모든 감각이 더 예리해지고, 몸과 마음이 하나가 되었다. 그러자, 이브는 문득 아담을 향한 사랑도 이와 같다는 생각이 들었다.

'아담에 대한 사랑도 축구게임과 마찬가지야. 그를 의식적으로 사랑할 수는 없어.' 그녀는 눈을 감고 마음속 깊이 그의 얼굴을 떠올렸다. '사랑이란 본능적이고 직관적으로 자연스러운 초월적 단어야.' 이브는 자신에게 속삭였다. '그를 사랑하는 것은 나의 의지나 결심

에서 비롯된 것이 아니야. 그저 그의 존재 자체가 내 안에 스며들어 자연스럽게 사랑으로 변한 거지.'

경기장에서는 선수들이 계속해서 놀라운 플레이를 선보였다. '아담에 대한 사랑도 이와 같아. 나는 그를 의식적으로 사랑하지 않아도, 그의 존재는 나의 무의식 속에서 자연스럽게 사랑으로 자리 잡았어.' 그녀는 고이 미소 지으며 마음속으로 다짐했다. '이제 나도 무의식의 흐름 속에서 그를 더 깊이 사랑할 수 있어.'

Ra는 미소를 지으며 팀을 바꿨다. "강팀은 너무 쉽지. 상대적으로 약팀인 대한민국으로 바꿔보자고" 신의 말이 끝나자마자 이브의 브라질 팀 유니폼이 하늘로 솟고 어느새 대한민국 팀 유니폼으로 바뀌었다. 그녀는 손흥민과 같은 팀이었고, 상대 팀은 메시, 지단, 호날두, 음바페 등 축구 역사상 최고의 선수들이 모여있었다.

경기가 시작되자마자, 상대 팀의 현란한 패스와 드리블에 압도당했다. 그들의 무의식 속에서 펼쳐지는 경기력은 놀라운 수준이었다. 메시의 드리블은 마치 춤을 추는 듯 자연스럽고, 지단의 패스는 마법과도 같았다. 호날두의 슛은 강력하고 정확했으며, 음바페의 속도는 번개처럼 빠르게 느껴졌다. 대한민국 팀은 그들의 공격을 막아낼 수 없었고, 점수는 이미 3대0으로 뒤지고 있었다.

이브는 숨을 헐떡였지만 포기하지 않았고, 손흥민과 눈을 마주치며 서로에게 용기를 북돋아 주었다.

관중석에서 관전 중이던 5명의 팀원은 이브와 손흥민을 응원하기 시작했다. "화이팅!" 그들의 외침은 경기장에 진동했고, 응원은 점점 더 열기를 띠었다. 영환은 치킨과 맥주를 들고 있었고, 할머니는 삼겹살을 굽고 있었다. 에바와 라감은 소주잔을 부딪치며, "이겨낼 수 있어!"라고 외쳤다. 치킨과 맥주 파티, 소주와 삼겹살 파티와 함께 분위기는 한층 더 뜨거워졌다. "이브, 너라면 할 수 있어!" 아담은 치킨을 한입 물며 큰소리로 다시 외쳤다. "손흥민과 함께라면 무슨 일이든 가능하잖아!" 할머니는 삼겹살을 뒤집으며 "저 메시랑 지단도 사람이야! 두려워하지 마!"라고 외쳤고, 에바는 소주를 한 잔 들이켜며 "그래, 우리가 널 믿어! 넌 할 수 있어!"라며 이브를 격려했다.

하지만 경기는 전혀 다른 양상으로 흘러갔다. 대한민국 팀은 사이드에서 계속해서 크로스를 올리기만 했다. "패스! 패스!" 이브는 조급해하며 팀원들에게 외쳤다. 그러나 그녀의 외침은 공허하게 메아리쳤다. 선수들은 계속해서 측면으로 공을 몰고 가더니, 어김없이 크로스를 올렸다.

"또 크로스? 제발 좀!" 이브는 답답해하며 소리쳤다. 그는 중앙에서 움직이려고 노력했지만, 공은 항상 사이드로만 향했다.

경기 시각이 흐를수록 이브의 답답함은 극에 달했다. "이러다 경기 끝나겠어!" 그녀는 포기하지 않고 계속해서 팀을 독려했지만, 대한민국 팀의 플레이 스타일은 바뀌지 않았다. 어김없는 크로스와 잘못된 헤더의 연속 속 4:0이라는 큰 점수 차이로 전반전이 종료됐다. 그녀는 씁쓸한 미소를 지었다. 'Ra가 또 장난을 친 거군'

라커룸에서 대한민국 팀 감독은 선수들 앞에 서서 힘차게 외쳤다. "힘내자, 잘하자, 할 수 있다!" 선수들은 서로를 격려하며 고개를 끄덕였다. "맞아, 우리가 할 수 있어!" "포기하지 말자!" 자의식의 영역으로 똘똘 뭉친 대한민국 선수단은 다시 필드로 나섰다.

경기는 다시 시작되었고, 이브와 손흥민을 비롯한 대한민국 선수들은 예전과 다른 놀라운 플레이를 펼쳤다. 상대 팀의 공격을 막아 내고, 드디어 하나둘씩 골을 넣으며 점수를 좁혀갔다. 아담은 그 순간을 놓치지 않고 한국의 신문선 해설을 흉내 내며 목청을 높였다.

"자, 지금 손흥민 선수! 오른쪽 윙에서 볼을 받아 드리블 시작합니다! 아, 빠릅니다! 손흥민, 수비수 한 명을 제치고, 두 명째 돌파! 아, 정말 날렵한 움직임입니다!"

손흥민은 상대 팀의 수비수들을 하나둘씩 제치며 골문으로 접근했다. 아담의 목소리는 더욱 격양되었다.

"지금입니다! 손흥민! 페널티 박스 안으로 들어갑니다! 슛! 아, 골이에요! 골! 손흥민! 대한민국의 자랑 손흥민! 기가 막힌 골입니다!"

아담은 히딩크 특유의 퍼포먼스를 선보이며 몸을 앞으로 내밀고, 한 손으로 어퍼컷 하며, 흥분을 감추지 못했다.

"아, 정말 놀랍습니다! 손흥민 선수, 상대 수비진을 완전히 무너뜨렸습니다! 이게 바로 월드 클래스의 실력입니다! 골키퍼는 손도 써보지 못했어요! 완벽한 마무리입니다. 여러분, 이런 경기는 두고두고 기억에 남을 겁니다!"

경기 종료 직전 중앙으로 넘어온 크로스가 손흥민의 발끝에 맞았고, 화려한 발리슛이 결정적인 골로 이어졌다. 결국, 대한민국 팀은 4:3으로 역전승을 거두었다. 관중석은 인사불성인 관중들이 윗옷을 벗고 난리를 쳤고, 선수들은 서로를 끌어안고 기쁨을 나누었다. 이브는 그 순간 무언가를 깨달았다.

"아담과의 사랑도 마찬가지였다" 그를 사랑한 뒤 아이가 태어나자, 부부 관계는 형식적이고 의리로 사는 느낌이었다. 하지만, 그녀가 억지로라도 매일 손잡아달라고 하고, 볼에 뽀뽀해달라고 하고, 안아달라고 하자, 그들은 다시 사랑을 시작할 수 있었다.

이브는 조용히 속삭였다. "사랑이란 무의식적으로 시작되지만, 관계를 유지하려면 의식적인 노력도 필요해. 무의식 속의 감정이 중요하지만, 자의식의 영역도 함께 중요하구나."

그녀는 하늘을 바라보며 생각을 이어갔다. "시간은 흐르지 않는다. 단지 우리는 의식 속에서 시간이 흐른다고 착각할 뿐이다. 이것도 무의식을 개념 짓는 일이지." 이브는 깊은 깨달음 속에서 미소를 지었다. 모든 것이 연결되어 있다는, 무의식과 의식이 함께 조화를 이루어야 한다는 것을 이해한 순간이었다.

"그러므로 무의식 속에 자의식이 결합 되는 것도 결국 나쁘지 않다. 모든 것은 의미가 있다." 그녀는 속삭이듯 말했다. FIFA라는 축구게임을 하면서 흐름을 읽었고, 무의식의 영역 속에 브라질과 함께 빠져보기도 했다.

이를 통해 아담과의 사랑을 느끼자, 신의 냄새가 다가왔다.

그 냄새를 깊이 들이마셨다. "아담과의 사랑을 나눌 때 그의 땀과 체취에서 나는 소중하고 아름다운 추억의 냄새야." 그녀는 눈을 감자 아담과의 추억이 떠오르며, 그의 따뜻한 미소와 다정한 손길이 생생하게 그려졌다. 그리고 눈에는 눈물이 맺혔지만, 그 눈물은 슬픔이 아닌 깊은 깨달음과 감사의 표현이었다. 그리고 무의식 속에서 펼쳐지는 신의 기억은, 인간의 논리나 감정을 넘어서는 것이었다.

무의식 속에서 신의 기억을 탐구하는 것은 자의식의 일종이었다. 이브는 그 기억을 통해, 자신과 아담이 어떻게 연결되어 있는지를 느꼈다. 무의식과 자의식의 흐름이라는 결합은 이브가 아담을 향한 진실한 애정과 동시에, 존재의 근본적인 흐름을 깨닫는 과정이었다. 그때, Ra의 목소리가 들려왔다. "이브, 고대석으로 돌아와라."

이브의 주위에 빛나는 포탈이 열렸다. 그녀는 눈을 감고, 그 빛으로 천천히 들어갔다. 포탈을 통과하면서 그녀는 자신의 영혼이 가벼워지는 것을 체험했다. 마치 무거운 짐을 내려놓은 듯, 마음속 깊은 곳에서 평온이 찾아왔다.

눈을 떴을 때, 자신이 다시 고대석 근처에 서 있는 것을 발견했다. 다른 5명도 그녀를 기다리고 있었다. 그들의 얼굴에는 안도와 기쁨이 가득했다. "이브, 정말 잘했어!" 그들은 한목소리로 외쳤다. 아담은 고개를 끄덕이며 대답했다. "맞아, 이브. 우리는 서로의 애정을 통해 이 시험을 이겨냈어. 근데 이거 합격한 거야?"
이브는 고개를 끄덕이며 미소 지었다. "고마워. 합격하였는지 모르겠지만, 여러분 덕분에 할 수 있었어. " 무의식과 자의식, 그리고 사랑의 진정한 의미를 깨달은 이브는 이제 더 강해졌다.

Ra는 그들을 바라보며 만족스러운 미소를 지었다. "이제 다음 시험을 준비하라. 모든 것이 의미가 있으며, 그 의미를 찾는 것이 너희의 과제다. "

# 2-2 혼돈 속의 질서

에바는 두 번째 시험에 출전했다. 그녀는 심미적 욕구와 조화에 대한 갈망이 강한 인물로 중도의 지구를 마음속으로 항상 외쳤다.

Ra는 에바에게 디아블로 게임을 제시했다. "이 시험에서는 혼돈 속에서 질서를 찾아야 한다. 네가 선택한 캐릭터에 따라 게임의 난이도가 크게 달라질 것이다."

에바는 캐릭터를 선택하라는 말을 듣자, 특유의 디아블로 배경음이 귀를 사로잡았다. 심연 속에서 "둥둥둥" 울리는 심장 박동 소리와 함께 "쾅쾅" 울려 퍼지는 깊고 웅장한 음향이 마치 지옥의 문을 여는 듯한 느낌을 자아냈다. "쾅! 쿵! 쿵!" 울리며 어두운 분위기를 연출하는 그 배경음 속에서 고민 끝에 소서러스를 골랐다. 그녀는 마법을 통해 혼돈 속에서 질서를 찾아낼 수 있다고 믿었다.

Ra는 비웃으며 말했다. "앵벌이 쉬운 길을 택했구나. 하지만 이 게임이 그렇게 쉽지 않을 거다."

게임 속으로 들어간 에바는 몬스터를 하나씩 처치해 나갔고, 다양한 아이템을 주워 능력치를 보강했다. 그녀의 기술은 더욱 정교해졌고, 드디어, Act 1의 보스인 안다리엘과 마주했다. 어둠 속에서 거대한 모습을 드러낸 안다리엘은 위협적인 존재감을 뿜어냈다. 그리고 혼돈의 화신이라는 별명답게 부단히 형태를 바꾸며 에바를 독가스로 공격했다.

그녀도 주눅 들지 않고 손에서 번쩍이는 마법인 아이스 볼트와 노바를 사용해 대항했다. 그리고 보스의 패턴을 분석하며, 그 안에서 작은 질서의 단서를 찾으려 노력했다. 마침내, 보스의 움직임 속에서 일정한 패턴을 발견했다.

치열한 전투 끝에, 에바는 안다리엘을 처지 하는 데 성공했다. 보스가 쓰러지자, 각종 화려한 아이템들이 바닥에 떨어졌다. 황금빛으로 빛나는 아이템들이 그녀의 눈앞에 펼쳐졌고, 에바는 기쁨과 함께 가슴이 벅차올랐다.

관전자인 라감은 영혼포탈을 바라보며, 엄마로서 시험을 잘 풀어나가는 딸에게 환호했다. "잘했어, 내 딸! 정말 대단해!" 라감은 두 손을 높이 들어 춤추며 기뻐했다. 그 모습을 본 아담은 제로투를 아냐고 묻더니, 지금 머리로 올린 두 손을 깍지낀 채 좌우로 흔들면 된다고 시범을 보였다.

한편, 에바는 잠시 숨을 돌리며, 자신의 발밑에 떨어진 아이템을 이리저리 착용해보더니 마음에 드는 것을 골랐다. 그리고 Act 2로 넘어가 사막에서 앵벌이를 하며 레벨을 올렸다. 파이어 월과 노바를 적절히 사용하며 적들을 쉽게 물리치고, 마침내 18레벨에 도달했다. 새로운 기술인 텔레포트와 블리자드를 사용할 수 있게 되자, 곧장 액트 3를 넘어, 4의 카오스 생츄어리로 향했다. 이곳은 불을 뿜는 녹색 악마들과 각종 마법을 사용하는 메이지들이 매우 위협적인 곳이었다.

카오스 생츄어리에서 텔레포트를 사용해 빠르게 이동하며 적들의 공격을 피해 다녔다. 그녀는 한 장소에서 다른 장소로 순식간에 이동하며 적들이 따라올 수 없도록 했다. 그녀의 움직임은 마치 유령처럼 빠르고 예측할 수 없었다.

시간이 흐르고, 에바는 끊임없는 전투와 퀘스트를 통해 마침내 레벨 30에 도달했다. 이제 그녀는 더욱 강력한 마법을 사용할 수 있게 되었다. 프리즌 오브와 히드라라는 강력한 기술을 익히면서 더욱 효율적으로 몹을 물리칠 수 있었다. 그녀는 프리즌 오브를 사용해 적들을 얼려버리고, 이어서 히드라를 사용해 그들의 몸을 불로 지졌다. 얼음과 불덩어리가 휘몰아치며 적들은 속수무책으로 쓰러져 갔다.

마침내, 에바는 디아블로를 소환하는 4개의 문을 열고, 혼돈의 성소 깊숙한 곳에 도착했다. 그녀는 이미 레벨 30을 넘어섰고, 온갖 마법을 부리는 상태였다. 고대의 악마 디아블로와의 대결이 눈앞에 다가오자, 에바는 긴장을 늦출 수 없었다. 그녀의 주변에는 얼음과 눈보라가 휘몰아치며, 그녀의 결의와 함께 주변 공기를 더욱 차갑게 만들었다. 디아블로가 포효하며 모습을 드러냈다. 그 거대한 악마는 불타는 붉은 피부와 날카로운 뿔, 악마의 눈에서 뿜어져 나오는 붉은 빛으로 그녀를 노려보았다. 그의 등에서 뻗어 나온 날개는 거대한 그림자를 드리우며 무서운 존재감을 드러냈다.

디아블로가 첫 번째 공격을 시작했다. 거대한 발톱이 번쩍이며 공중을 가르자, 에바는 빠르게 텔레포트를 사용해 그 공격을 피했다. 그녀는 곧바로 스태틱 필드를 사용해 디아블로의 체력을 깎기 시작했다. 푸른 전류가 디아블로를 감싸며 그의 체력을 눈에 띄게 줄였다. 디아블로는 분노에 찬 포효를 내지르며, 붉은 화염의 숨결을 뿜어냈다. 에바는 재빨리 프로즌 오브를 시전해 자신의 주위를 얼음의 구슬로 감쌌다. 구슬이 디아블로에게 닿자, 그의 불길은 얼음 속에서 꺼져버렸다. 에바는 다시 텔레포트를 사용해 디아블로의 뒤로 이동했고, 프로즌 오브를 연이어 시전했다. 디아블로는 빠르게 힘이 빠지고 있었다.

허우적거리던 디아블로는 땅을 박차고 공중으로 도약해 지진을 일으켰다. 땅이 갈라지며 불길이 솟아올랐고, 에바는 간신히 텔레포트를 사용해 그 공격을 피했다. 그녀는 조금의 망설임도 없이 다시 스태틱 필드를 사용해 디아블로를 공격했다.

디아블로는 마지막으로 전기 에너지를 발사했다. 에바는 이를 예측하고 프로즌 오브와 블리자드를 연달아 시전했다. 얼음과 눈보라가 디아블로를 감싸며 그의 움직임을 봉쇄했다. 디아블로의 몸은 점점 느려졌고, 공격은 점차 약해졌다. 결국, 마지막 블리자드가 디아블로의 몸을 완전히 얼려버렸고, 그의 거대한 형체는 빙결된 채로 쓰러졌다.

에바는 가쁜 숨을 내쉬며, 드디어 디아블로를 처치한 것을 실감했다. 그녀는 디아블로의 시체를 뒤져 한쪽에서 반짝이는 것을 발견했다. 조던 링이었다. 승리의 기쁨을 만끽하며, 조던 링을 손가락에 끼웠다. 그것은 다른 아이템들 사이에 숨겨져 있었지만, 그녀의 날카로운 눈을 피할 수 없었다. "이제 나의 힘은 더욱 강력해졌어,"

그 순간, Ra의 목소리가 그녀의 귀에 울려 퍼졌다. "에바, 다음 단계로 가자." Ra가 손을 휘젓자, 에바는 눈 깜짝할 사이에 나이트메어 Act 5의 바알 보스 앞에 서 있었다. 거대한 바알이 그녀를 위협하듯 바라보고 있었다.

"이건 너무 급작스러워! 노말도 아니고 나이트메어라니?" 에바는 Ra에 외쳤다. 바알의 위압감은 압도적이라, 두려움이 엄습해왔다. 결국, 에바는 본능적으로 도망치기 시작했다. 그 순간, 할머니가 주절거렸다. 할머니 목소리는 포탈을 넘어 에바의 귓가에 강하게 울렸다. "에바, 지금은 노말 액트3로 가서 메피스토를 계속 잡으면서 템을 맞추는 게 중요해.", "액트3 보스는 템을 잘 주는 편이야. 메피스토를 처치하면 좋은 아이템을 얻을 가능성이 커. 그러니까 앵벌이로 계속 메피스토를 처치해봐."

"강해질 방법을 찾아야 해. 좋은 아이템을 모으다 보면, 너도 바알을 상대할 수 있을 만큼 강해질 수 있을 거야." 할머니는 계속해서 주절주절 설명했다. 에바는 고개를 끄덕이며, 할머니의 말을 따랐다.

"알았어요, 할머니. 메피스토를 계속 잡을게요." 그녀는 할머니의 말대로 Act 5에서 Act 4로, 다시 Act 3로 거꾸로 내려왔다. 그러나, 에바는 자신이 거꾸로 단계를 내려오는 상황이 하나의 질서를 짓는다고 생각했다. 도덕과 법 등의 질서나 규칙과 같다고 생각되자, "이건 내가 추구하는 중도와 완전히 어긋나는 행동이야."라고 혼잣말을 했다.

"크리스털 지구가 붉은 지구로 물드는 것을 방지하기 위해 억지로 중도를 가려는 행위도 질서를 만드는 행위였구나." 그 깨달음과 함께, 그녀의 뇌는 강한 혼돈에 휩싸였다. 혼돈 속에서 질서를 만들었다는 생각에 두통이 몰려왔고, 뇌는 압박 속에 짓눌렸다. 모든 것이 뒤섞여 있는 듯한 느낌이었다. 그 순간, 그녀의 뇌는 혼돈과 질서 사이에서 치열하게 싸우고 있었다.

"내가 혼돈 속에서 잘못된 질서를 만들어냈어." 에바는 숨을 고르며 자신에게 말했다.

에바는 Act 3의 마을로 도착하자마자 주변을 둘러보았다. 마을은 평화롭고 질서정연해 보였지만, 그녀의 마음속은 여전히 혼돈의 소용돌이에 휩싸여 있었다. 그녀는 그곳의 평온함 속에서도 끊임없이 몰아치는 생각들에 잠겨있었다.

"혼돈 자체도 의미가 있다.", , "질서를 잡으려면, 혼돈이 있어야 하고, 질서를 파괴해야 혼돈 속에서 새로운 질서를 지을 수 있다." 그녀는 혼돈과 질서의 관계를 곰곰이 생각했다.

"그렇다면, 질서라는 도덕이나 법이 혼돈을 막기 위한 선이라고 볼 수 있는가?" 에바는 고민했다. 중도가 무엇인지, 그 본질에 대해 깊이 파고들었다. "중도는 무질서의 아비규환 속에서 무의식적으로 체계를 정하는 것일지도 몰라."

그녀는 마을의 조용한 광장에서 잠시 멈춰 서서, 혼란스러운 생각들을 정리하려고 애썼다. "질서는 혼돈을 막기 위한 인간의 발명품일까? 아니면, 혼돈이 질서를 짓기 위한 필연적인 조건일까?"

바알 앞에서 도망치며 깨달았던 것처럼, 모든 것에는 의미가 있었다. 혼돈도, 질서도, 그 둘 사이의 관계도.

"혼돈이 없다면, 새로운 질서도 없다. 그리고 그 질서를 파괴해야만, 다시 새로운 질서가 만들어질 수 있는 거야." '중도는 무질서의 아비규환 속 무의식의 체계다.'

Ra는 에바에게 더 강력한 깨달음을 주기 위해 Act 2의 난이도를 나이트메어에서 헬로 바꾸었다. 갑자기 주변의 분위기가 무겁게 바뀌고, 들려오는 소리도 더 웅장하고 음침했다. 그녀는 압도적으로 강한 몹들로 인해 마을 밖으로 한 발자국도 나갈 수 없었다.

"질서를 전혀 만들 수 없는 상태라면, 혼돈 속에서 중도로 갈 수 없다는 사실을 이제야 깨달았어." 무의식적으로 질서를 짓던 그녀의 능력은 지금 완전히 무기력했다.

"질서를 어느 정도 만든 푸른 지구에서 크리스털 지구로 가는 것은 가능하지만, 붉은 지구에서 크리스털 지구로 가는 중도라는 길은 거의 불가능해 보이는군." 에바는 고개를 들어 하늘을 보며 깊이 생각했다.

"혼돈 그 자체인 붉은 지구가 어느 정도 질서가 잡힌 상태인 푸른 지구와는 다르지. 혼돈과 질서가 어느 정도 같이 상응해야만 중도라는 개념도 성립될 수 있어. 완전한 혼돈 속에서는 중도도 존재할 수 없는 걸까?"

에바는 헬 난이도의 잔혹함 속에서 깨달았다. 그녀가 그토록 갈망하던 중도는 완전한 질서도, 완전한 혼돈도 아닌, 그 둘 사이의 균형이었다. 붉은 지구는 그저 혼돈의 영역이었지만, 푸른 지구는 질서와 혼돈이 균형을 이루진 못했지만, 다른 비율로 섞여 있는 곳이었다.

"중도는 혼돈과 질서가 어느 정도 함께 존재해야만 가능한 것일지도 몰라. 절대적인 혼돈 속에서는 그 어떤 질서도 자리 잡을 수 없고, 그 반대도 마찬가지야," 에바는 깊은 생각에 잠겼다. 그녀는 이제 혼돈 속에서 질서를 찾는 시험의 진정한 의미를 알아차리기 시작했다.

에바는 헬 난이도의 압박 속에서 이러지도 저러지도 못해 생각밖에 할 수 없었다. "이중의 관계… 질서는 푸른 지구, 혼돈은 붉은 지구. 둘을 모두 거쳐야만 크리스털 지구에 도달할 수 있다," "그래서 붉게 물드는 혼돈의 지구는 당연하였구나. 중도만을 그대로 유지할 수는 없었던 거야." 그 순간, 그녀는 지하철 속에서 느껴지는 인간의 짙은 체취들이 다가오는 것을 느꼈다. 각기 다른 사람들의 향기가 뒤섞여 하나의 복합적인 냄새를 만들듯, 질서와 혼돈도 함께 어우러져야만 새로운 차원에 도달할 수 있었다.

그녀의 이 깨달음은 Ra에게도 전달되었다. Ra는 에바에게 나타나 말했다. "고대석으로 돌아오거라!"

에바는 안도의 한숨을 내쉬며 Ra가 열어준 영혼포탈을 바라봤다. "그래, 중도만을 고집할 수는 없는 법이지. 질서와 혼돈, 그 둘의 조화를 이해하는 것이 중요해."

에바가 혼돈의 시련을 마치고 고대석 근처로 돌아오자, Ra는 그녀에게 추가적인 설명을 해주었다. "혼돈이 있어야 질서가 생겨나고, 그 질서는 시간이 지나면서 변질될 수밖에 없단다. 이중의 관계를 지닌다는 것을 잊지 말아라."

에바는 그 설명을 들으며 깊이 생각에 잠겼다. "질서와 혼돈은 서로 의존하는 관계라는 말인가…."

Ra는 고개를 끄덕이며 이어나갔다. "그래, 질서는 실제로는 모호하고 인위적이지. 결국, 그 경계는 인간이 설정한 인위적인 개념일 뿐이야. 에바는 고개를 끄덕였다. "혼돈 속에서 질서 짓기처럼, 우리의 삶도 주관적이고 변덕스러울 수밖에 없다는 걸 느낄 수 있었어."

Ra는 미소 지으며 덧붙였다. "법과 도덕에 대한 모호함, 선과 악의 기준도 질서를 추구하는 인간의 관점에서 나온 것이란다. 또한, 그 잣대에 따라 사람을 구분하는 것은 큰 스트레스와 상실감을 안겨줄 수밖에 없지."

에바는 깊은 생각에 잠긴 듯 말했다. "우리는 서로를 비교하며 자신을 재정의하려고 노력하지. 하지만 그런 질서는 결국 혼돈 속에서 자신을 찾으려는 노력에 지나지 않아."

Ra는 고개를 끄덕였다. "맞다. 인간이 말하는 철학적 의미를 넘어 그들의 정체성과 자아를 탐구하게 해주지. 서로의 소중함을 인정할 때 비로소 진정한 내재적 가치를 발견할 수 있다."
혼돈은 그 자체로 무질서한 것이 아니라, 더 큰 질서의 일부였다. 신의 시각에서, 혼돈은 창조와 파괴의 반복 속에서 균형을 이루는 것이었다.

# 2-3 파괴 속의 창조

재욱은 세 번째 시험에 출전했다. 그는 지구에서 시험을 치러야 했으며, 자존의 욕구와 관련이 깊었다. 재욱은 자신의 정체성과 살아가는 목적을 찾아가며, 파괴와 창조의 의미를 깨달아야 했다.

　재욱은 고대석 뿌리로 향하는 길을 찾기 위해 많은 시간을 허비했다. 막다른 길에 도착한 그는 한숨을 내쉬며 주변을 살피니 하늘에서 날아오는 독수리가 보였다. 그 독수리는 점점 가까이 다가오더니, 눈이 부신 빛과 함께 호루스로 변신했다. 그리고 투명하고 미친 듯이 빛나는 영롱한 눈으로 길을 비추었다.

　"길을 잃었나 보군. 내가 도와주겠다." 그의 목소리는 강하고도 평온하게 울렸다. 재욱을 뿌리로 안내한 뒤, 호루스는 손을 들어 빛나는 포탈을 열었다. 그 포탈은 영롱한 빛으로 가득 차 있었고, 그 너머에는 시험장이 보였다.

　"이 포탈을 통해 시험장으로 들어가라" 호루스가 말했다. "감사합니다." 재욱은 고개를 숙였다.

　호루스는 미소를 지으며 재욱에게 말했다. "용기를 잃지 말고, 네 길을 찾아라. 너의 여정은 이제 막 시작됐을 뿐이다." 호루스는 다시 독수리로 변해 하늘로 날아올랐고, 재욱은 그가 열어준 포탈을 통해 시험장으로 발걸음을 옮겼다.

눈 앞에 펼쳐진 광경은 너무나도 익숙한 현재의 지구였다. 인공지능이 지배하는 붉은 지구는 포탈을 들어가기 전과 똑같았다. 그는 이곳에서 자신의 영혼으로 서든어택 시험을 시작했다. 그리고 Red팀의 일원으로 대한민국에 있는 3보급 창고에 배치되었다.

이곳은 전략과 전술이 중요한 복잡한 구조를 가진 대한민국의 대전광역시였다. 현재는 로봇으로 인해 창고 내부와 외부가 혼재된 전장이며, 여러 개의 좁은 통로와 넓은 공간이 교차하여 다양한 전투 상황이 벌어졌다. 창고의 중앙에는 커다란 컨테이너들이 여러 개 쌓여 있어 엄폐 및 은신처로 사용된다. 이곳은 저격수들에게 이상적인 위치로, 적의 움직임을 감시하고 사격할 수 있는 최적의 장소다. 바닥에는 오래된 나무판자가 깔려 있어, 적의 발걸음 소리를 들을 수 있었다.

주요 전투 구역 중 하나는 둔산동 창고의 양쪽 끝에 출입구다. 이곳은 양 팀이 처음 마주치는 장소로, 초반 교전이 자주 발생한다. 출입구는 좁고 길게 이어져 있어, 돌격소총이나 산탄총을 가진 병사들에게 유리하다. 둔산동 창고 밖으로 나가면 세종시로 이어지는 넓은 야외 공간이 펼쳐진다. 이곳에는 드럼통, 철제 상자, 차량 등이 흩어져 있어, 다양한 엄폐물을 활용한 전투가 가능했다. 야외 공간은 사방이 트여 있어 저격수들이 주로 활동하는 구역이며, 저격총 라이플을 가진 병사들이 사격하기 좋다.

둔산동 그 낡은 창고는 붉게 물들어 있었고, 울려 퍼지는 폭발음과 총성은 지구 여느 곳과 같이 그의 심장을 두드렸다. 블루팀의 인공지능 로봇들이 창고 구석구석에서 시도 때도 없이 나타나 그를 공격했다. 첫 번째로 저격 총을 들었다. 빠른 속도로 움직이며 원 점프 또는 투 점프를 사용하며 정확한 사격으로 로봇들을 하나씩 쓰러뜨렸다. 그러나, 결정적인 순간마다 Ra가 어처구니없는 방식으로 그의 무기를 바꾸기 시작했다. 근접전에서 유리한 라이플을 들고 적들과 맞닥뜨린 순간, 갑자기 그의 손에는 저격 무기가 쥐어졌다. 당황한 재욱은 겨우 몸을 숨기며 순줌과 패줌을 시도했지만, 상황은 그의 뜻대로 풀리지 않았다.

재욱은 거리를 벌려, 장거리에서 적을 노리며 정밀 사격을 준비했다. 그런데 이번에는 Ra가 그의 손에 칼을 쥐여주었다. 먼 거리에 있는 적을 향해 쓸모없는 무기를 들고 있는 상황에 재욱은 당혹감을 감추지 못했다. 그는 다시 전략을 바꿔야 했고, 그때마다 적에게 노출되었다.

관전자인 아담은 "Ra가 왜 저렇게 방해를 하지?"라고 중얼거렸다. 반면, 에바는 엄마로서 아들을 응원했다. "아들, 괜찮아! 네가 잘할 수 있을 거야! 포기하지 마! 무슨 일이 있어도 자신을 믿어야 해!"

그는 다시 쥐어진 저격 총을 들고 로봇의 움직임을 예의주시하고 있었다. 그리고 스코프를 통해 적들을 하나씩 포착하며, 숨을 멈추고 방아쇠를 재빨리 당겼다. 그리고 "파이어 인 더 홀!" 외침과 함께 포물선을 그리도록 수류탄을 멀리 던졌다. 그 순간, 인공지능 스나이퍼가 재욱을 포착하고 몸을 피했다. 그리고 다른 곳에서 총성이 울리고, 재욱은 치명적인 헤드 샷을 맞고 쓰러졌다.

재욱은 띠~하는 소리와 함께 심장을 멈추었고, 머리 위에는 "You have been killed"라는 메시지가 떴다. 그리고, 몇 초 후, 심장이 다시 뛰면서, 그는 레드팀의 리스폰 포인트에서 다시 살아났다. 그 모습을 지켜보던 아담은 고개를 절레절레 흔들며 비웃었다. "어차피 인공지능 로봇에게 죽을 바에야, 멋진 영화 한 장면이라도 따라 해 봐!" 그는 재욱을 약 올리듯 말했다. 아담은 손가락을 총 모양으로 만들고, 영화 "타짜"의 정 마담처럼 손을 떨며 소리쳤다. "쏠 수 있어! 나 정말 쏠 수 있어!" 그의 목소리는 과장되었고, 그 순간 마치 정 마담의 절박한 외침이 되살아난 듯했다. 아담의 얼굴은 극도의 긴장감과 공포로 일그러졌고, 손끝은 미세하게 떨렸다.

재욱은 잠시 포털을 넘어 들리는 아담의 목소리를 들으며 쓴웃음을 지었다. 그의 유머는 왠지 힘이 되었다. "그래, 죽는 김에 멋지게 한번 죽어보자고." "다시 한번 가볼까," 재욱은 속삭이며 다시 전투에 뛰어들었다.

이미 몇 번째 죽음을 맞이하고 다시 살아났는지 셀 수 없을 정도였다. 블루팀 인공지능 로봇들은 그의 움직임을 완벽히 읽어내며, 총알 세례를 퍼부었다. "어이쿠, 또 죽었네," 재욱은 피식 웃으며 다시 살아났다. 이번에는 조금 더 신중하게 행동했다. 그는 적진으로 조심스럽게 기어들어 가고 있는데…. 그때 할머니는 재욱에게 말을 걸었다. 그녀의 목소리가 3보급 창고 하늘에서 맴돌았다. "인공지능 로봇은 아무래도 발소리 증폭기를 사용할 거야. 그러니까 재욱, 너는 고스트 스텝을 밟아야 해. 쥐도 새도 모르게, 다가가거나 이동하려면 발걸음이 들리지 않도록 신중해야 해."

재욱은 할머니의 조언으로 발걸음을 더욱 조심스럽게 옮겼다. 최대한 소리를 내지 않으려 노력하며, 로봇들의 감시를 피해 나아갔다. 할머니의 목소리는 계속해서 그의 머릿속에 울렸다.

"그리고, 인공지능 로봇도 머리가 약점이니까 Ra가 무기를 계속 바뀌더라도 헤드 샷을 노려야 해. 그게 제일 효과적일 거야."

그는 숨을 죽이며 할머니의 말대로, 적의 약점인 머리를 노렸다. 총을 잡은 손이 떨렸지만, 눈을 가늘게 뜨고 조준을 고정했다. "할머니의 말을 믿어. 나는 할 수 있어." 재욱은 속으로 다짐하며, 방아쇠를 당겼다. 총성이 펑 울리자, 로봇이 머리를 맞고 쓰러졌다. "맞았어!" 재욱은 속으로 외치며 다음 목표를 향해 다시 한번 발소리를 죽이고 고스트 스텝을 밟으며 적진으로 향했다. 그리고 사방을 살피고 잠복 중인 적을 찾았다. 로봇 하나가 그의 눈앞에 나타났다. "드디어!"

그러자 Ra가 그의 무기를 라이플에서 칼로 바꿨다. 그는 반복되는 Ra의 장난에 더는 당황하지 않았다. "이번에도 꼭 성공해야 해," 속으로 다짐하며 상대의 뒤로 다가갔다. 그리고 결정적인 순간, 칼을 들고 휙휙 두 번 휘둘렀다. 로봇은 갑작스러운 공격에 놀라 휘청였다. 재욱은 칼을 깊숙이 그의 머리 엔진에 꽂았다. 그 순간, 무언가가 시원하고 뿜어져 나왔다. 그리고 기쁨에 찬 행동으로 적의 시체 위에 앉아 연신 칼을 계속 휘두르며, "이제 봐라, 나도 할 수 있어!" 외쳤다. 그는 쑥스러운 듯 어깨를 으쓱하며, "나도 잘할 때가 있지." 농담을 던졌다. 그 순간 재욱은 다시 로봇들의 총알 세례를 받으며 쓰러졌다. "또 죽었네."

매번 죽음을 맞이할 때마다 그는 창조 속에 다시 살아났다. 죽고 살아나고, 또다시 죽고 살아나기를 계속해야 했다. 그런 끝없는 죽음과 재탄생의 순환 속에서 점점 몸이 노곤해졌다.

잠시 숨을 고르며 생각에 잠겼다. "창조라는 의미는 무엇일까?" 그는 속으로 중얼거렸다. "누군가에 의해 지구가 멸망하고, 다시 인류가 태어나는 로테이션 같은 것일까? 어쩌면 이것은 누군가로 인해 기본값으로 설정된 반복일지도 몰라."

"우리는 항상 서로를 파괴하고, 그 위에 새로운 것을 세운다. 지구가 멸망하고 다시 태어나는 것처럼." 이렇게 생각하며, 시험 속에서 자신의 역할을 되새겼다.

"죽어야 재창조되는 삶." 재욱은 다시 일어섰다. 무기는 계속해서 바뀌었다. 저격용 총에서 돌격소총으로, 칼로, 폭탄으로. 재욱은 각각의 무기를 사용하며, 파괴의 의미를 이해하려 노력했다. 그는 자신이 사용하는 무기들이 단지 파괴의 도구가 아니라, 새로운 창조의 가능성을 열어준다는 것을 깨달았다.

"파괴는 단순한 소멸이 아니야. 그것은 새로운 생명의 토대가 된다." 재욱은 그렇게 다짐하며, 적들을 물리쳤다. 관전 석에서 아담은 점점 그의 변화를 느꼈다. "저 사람, 그냥 싸우는 게 아니야. 뭔가 더 큰 걸 깨닫고 있는 것 같아."

라감은 고개를 끄덕이며 동의했다. "그래, 우리 아들은 분명히 뭔가를 배우고 있어. 파괴 속에서 창조의 의미를 깨닫고 있는 거야."

파괴는 단순한 소멸이 아니라, 창조의 한 부분이라는 것을. 인류의 역사 속에서 수많은 문명이 멸망하고, 다시 일어나듯이, 그의 죽음과 환생도 그런 과정 속 일부였다. 파괴와 창조는 끊을 수 없는 연결 고리였고, 둘은 서로의 존재가 있기에 의미가 있다는 것을.

"나는 이 시험으로 진정한 나 자신을 찾고 있는 거야. 파괴 속에서, 새로운 가능성을 발견하고 있어!"

그때 Ra는 재욱을 레드팀에서 블루팀으로 옮겼다. 블루팀에 소속되자 그의 임무는 달라졌다. 공격에서 방어로 바뀐 것이다. 이제 그는 지구 대한민국에 있는 3보급 창고에서 로봇의 침입을 막아내야 했다.

재욱은 A 지점에서 컨테이너 뒤 3mm의 저격용 라이플을 손에 쥐고, 숨을 죽인 채 적을 기다렸다. B 지점에서는 다른 팀원들이 적이 들어올 때 일망타진할 수 있도록 준비했다. 아무리 로봇이라도 철저한 방어만을 고집하는 그들의 전술에 쉽게 진입할 수 없었다.

시간이 지나면서 레드팀도 공격을 포기한 듯 보였다. 그들은 절대 무모한 돌격을 감행하지 않았고, 전장은 어느덧 고요해졌다. 양 팀이 정찰만 하며, 아무도 먼저 움직이지 않았다. 결국, 시간이 흘러 시험이 종료되었다. 그는 이 상황을 곱씹어 보았다. "살인, 살육, 전쟁…. 우리가 악이라 부르는 이 파괴 행위들이 인간 중심의 가치를 넘어선 무엇인가일지도 모른다." 그는 이제 전쟁과 평화, 파괴와 창조의 이중적인 관계를 깨달았다. 파괴가 없으면, 새로운 질서와 창조도 없다는 사실을 이해했다. 인간의 역사와 사회 속에서도 비슷한 패턴이 반복됐다. 인간은 서로 파괴를 통해 성장하고, 새로운 것을 창조하며, 다시 파괴의 사이클로 돌아가는 것이다.

파괴는 그저 악이 아니라, 새로운 시작을 위한 필연적인 과정일지도 모른다. 이로써 그는 신의 본질과 삶의 의미에 대해 생각하게 되었다. 파괴와 창조, 전쟁과 평화는 결국 하나로 이어지는 두 얼굴이었다.

그는 자신의 분노와 복수심을 넘어, 새로운 생명의 가능성을 보았다. "나는 누구인가? 나는 파괴 속에서 창조를 찾는 자다." 재욱은 자신에게 그렇게 다짐하며, 현세와 이어진 포탈로 들어갔다.

창조는 선이고, 파괴는 악이라는 기준은 인간 중심의 사고였다. 창조하기 위해서는 반드시 파괴가 수반되어야 한다는 것을 배웠다. 성공을 이루기 위해서는 실패가 필요하다는 것과 같다. 창조와 파괴, 성공과 실패는 떼려야 뗄 수 없는 필요충분조건이었다. 이분법적 사고에서 벗어나, 이중의 관계로서 무엇이 더 좋다고 말할 수 없는 관계였다. "지구가 인공지능 로봇에 의해 멸망하는 건 어쩌면 순리일지도 모른다. 다음 창조가 일어나는 이중의 메시지이기 때문이다." "자아존중감 또한 나를 파괴(실패)와 창조(성공)의 로테이션 속에 생긴 조건일 뿐이었다."

 강렬한 냄새가 그의 코를 찔렀다. 복수의 불씨가 타오르는 콩 볶음의 구수한 냄새였다. 과거의 실패와 고통이 지금의 자신을 만들어냈다는 그 모든 경험이 그를 더 강하게 만들었다.

 Ra는 재욱을 고대석 뿌리에서 지구의 그 창고 속으로 옮겼다. 붉게 물든 지구의 황폐한 풍경이 눈앞에 다시 펼쳐졌다. 인공지능 로봇들이 주변을 배회하며, 금속의 찌그러지는 소리와 기계의 윙윙거리는 소음이 귀를 메웠다. 이곳은 이제 인간의 터전이 아니었다. 전쟁과 파괴의 흔적이 가득한, 재창조를 상징하는 장소였다.

 "지구는 어떤 창조물로 다시 태어날까?"라고 고심했다.

 그 순간, Ra의 냄새가 그의 머릿속에 울려 퍼졌다. "붉게 물든 지구에서 인공지능과의 전투를 어떻게 풀어나가야 할지 해답을 주었다. 잘 풀어보아라." Ra는 의미심장한 냄새를 풍기며 사라졌다.

 재욱은 숨을 고르며 주위를 둘러보았다. 한쪽 손에는 Ra의 조각상이, 다른 손에는 무기를 쥐어졌다. 강력한 무기가 아닌, 권총 한 자루. 하지만 그는 알았다. Ra가 말한 해답은 무기의 힘에 있지 않았다.

"파괴는 필연적인 과정이다. 창조를 위한 불가피한 단계." 재욱은 자신을 스스로 다독였다. 재욱은 조심스럽게 창고 밖으로 나갔다. 인공지능 로봇은 그를 감지하고 움직이기 시작했다. 하지만 이번에는 그들의 허점을 파악하고, 하나씩 무너뜨리려 했다.

역시 전투는 쉽지 않았다. 수많은 로봇이 그의 길을 막았고, 그는 여러 번 쓰러졌다. 그러나 그는 다시 일어섰다. 그의 모든 실패는 성공을 위한 밑거름이었다. 하지만, 이 전투가 결국, 패배하더라도 미련은 없었다. 파괴를 통한 창조는 기존의 모든 것을 무너뜨림으로써 새로운 가능성이 열리는 것을 의미했기 때문이다. "그저 지구인으로서 인공지능 로봇과 싸울 뿐이다. 내가 피를 흘리며, 죽더라도 지구는 또 다른 생명의 토대가 될 것이다!!"

마침내, 재욱은 로봇들의 중심부에 머리에 피를 흘리며 도달했다. 그는 Ra가 주었던 해답을 떠올리며 마지막 결전을 준비했다.

## 2-4 공허 속의 충만

라감은 네 번째 시험에 출전했다. 그녀의 시험은 안전의 욕구와 관련이 깊었으며, 이를 통해 공허 속에서 충만을 찾는 법을 배워야 했다. 그녀는 Ra의 안내에 따라, LOL(리그오브레전드) 게임의 캐릭터가 되어 시험을 치렀다. 본격적으로 시험이 시작되자, 그녀는 공허의 상징 캐릭터인 카사딘으로 태어났다. 그리고 소환사의 협곡에서 미드 라인에 서게 되었다. 이 라인은 전략과 기술, 집중력이 요구되는 자리였다.

카사딘의 날카로운 외침이 울려 퍼지며, 그녀의 모습이 소환사의 협곡 한가운데에 나타났다. 그녀는 변한 자신의 몸을 찬찬히 살펴보았다. 외형은 공허의 에너지가 흐르는 검은색 갑옷으로 덮여 있었고, 갑옷 사이사이에는 보랏빛 광채가 번뜩이고 있었다. 그의 얼굴은 거칠고 날카로운 윤곽을 가지고 있었으며, 무표정한 표정은 차갑고 무서운 인상을 주었다. 두 눈은 마치 깊은 심연을 응시하는 듯한 보랏빛으로 빛나고 있었다.

한숨을 쉬며 말했다. "이런 남자라면 절대 안 만나. 너무 못생겼잖아!" "이 날카로운 외침과 무시무시한 갑옷이라니, 너무 과격하고 무서워 보여. 이건 정말 매력적이라고 할 수 없어," 그녀는 고개를 저으며, 다시 말했다. "이렇게 생겨서 누가 좋아하겠어?" 하지만, 공허의 에너지가 그녀의 주위를 감싸고, 라인을 바라보는 눈은 단호했다. 어쨌든, 그녀는 못생기게 변했지만, 강인한 몸으로 이 시험을 통과해야 했다.

적의 미드 라이너가 모습을 드러냈다. 강력한 마법과 빠른 움직임을 자랑하는 아리였다. 그녀는 스킬과 능력을 최대한 활용하기로 했다. 게임 초반은 신중하게 움직였다. 그녀는 미니언을 처치하며 경험치를 얻고, 적절한 시기에 푸른 불빛을 발하는 공허의 보주로 아리에게 공격했다. 카사딘의 기본 공격과 스킬을 활용해 아리와의 적정거리를 유지하며, 매혹과 구슬을 피했다. 그녀는 견제와 집중력이 중요하다고 생각했다.

게임이 한창 진행되던 중, 페이커가 그녀의 팀에 합류했다. 페이커는 정글에서 라감을 도와 압도적인 실력을 발휘하며, 팀을 이끌었다. 라감은 페이커의 리신 플레이를 보며, 공허 속에서도 충만을 찾는 법을 배웠다. 그는 팀의 중심이 되어, 모두를 하나로 모았다. 그녀는 그를 통해, 영웅의 존재가 공허를 채울 수 있다는 점을 깨달았다.

"페이커처럼 나도 공허 속에서 충만을 찾을 수 있어." 라감은 그렇게 다짐하며, 게임을 이어갔다. Ra는 아리에서 자신의 상징인 태양신에 가까운 캐릭인 아지르로 바꾸었다. 아지르는 강력한 모래 병사를 소환해 카사딘이 CS(크립 스코어)를 먹는 것을 어렵게 만들었다. 미니언들에게 다가가려 했지만, 아지르의 병사들이 날카롭게 그녀를 저지했다. "이건 힘들겠군," 그녀는 속으로 중얼거렸다.

아지르는 계속해서 병사들을 이용해 안전한 거리에서 공격을 가하며, 그녀의 체력을 조금씩 깎아 나갔다. CS를 놓치는 것이 속상했지만, 무리해서 접근할 수 없었다. 그러던 중, 미니맵에 익숙한 녹색 점이 보였다. "리신이다!" 긴장 반, 기대 반으로 페이커가 다가오는 것을 보았다. 페이커는 정글을 돌며 적 팀의 위치를 파악했다. 그리고 어느 순간, 빠른 속도로 미드 라인으로 돌진해 들어왔다.

"갱킹 간다," 페이커의 목소리가 협곡에 울렸다. 리신이 Q 스킬인 '음파'를 아지르에게 맞추고, 즉시 뒤이어 날아가 W 스킬인 '철수공'을 사용해 아지르를 타격했다. 아지르는 당황하여 급하게 플래쉬를 사용했지만, 이미 늦었다. 리신은 이어서 '용의 분노'로 이쿠우 ~ 하면서, 아지르를 공중에 띄웠고, 그녀는 그 틈을 놓치지 않고 Q 스킬인 '무의 구체'와 E 스킬인 '힘의 파동'을 사용해 공격을 이어갔다. 결국, 아지르는 쓰러졌다.

아담은 흥분을 감추지 못하며 해설을 이어갔다.

"지금 카사딘으로 아지르를 압도하고 있습니다! 아지르는 미드에서 살아남을 수가 없어요! 그녀의 움직임, 정말 대단합니다! 카사딘의 포스가 협곡을 지배하고 있습니다!"

라인은 잠시 평화로워졌다.

"잘했어," 눈먼 리신이 칭찬했다. "이제부터는 더 쉽게 풀어갈 수 있을 거야."

시간이 그녀는 궁극기, '공허의 균열'을 사용해 아지르의 공격을 피하고 빠르게 거리를 좁혔다. 아지르는 그녀에게서 벗어나려 했지만, 너무 빨랐고 예리했다. 공허의 에너지가 그의 주위를 휘감으며, 그녀는 적을 몰아붙였다.

"이제야 진정한 시험이 시작된 것 같군." 라감은 자신에게 속삭였다. 그녀는 카사딘의 힘을 믿었다. 적의 정글러가 미드라인으로 다가오는 것을 감지한 그녀는 신속하게 팀의 도움을 요청하고, 적의 공격을 회피하며 곧바로 역습을 준비했다. 공허의 힘이 그의 손끝에서 폭발하듯 터져 나왔다. 이제는 미드라인을 완벽히 장악했다.

Ra의 목소리가 협곡에 울렸다. "잘하고 있다, 라감. 네가 이 시험을 통과할 수 있을 것이다."

카사딘은 주먹을 쥐며 계속해서 싸웠다. 공허의 힘을 활용해 적을 몰아내고, 승리로 이끌기 위해 최선을 다했다.

그녀는 미드 라인을 지배한 후, 16레벨이 되자마자 진정한 힘을 발휘했다. 그녀는 16레벨부터 뛰어난 파괴력을 자랑하는 챔피언이었다. 게임 내에서 사기 캐릭터로 불리며, 적을 빠르게 제압할 수 있는 능력을 활용해 소환사의 협곡 전역을 누비기 시작했다.

"이제 진정한 재미가 시작되는군," 그녀는 속삭였다. 공허의 균열을 이용해 적 팀의 방심한 챔피언들을 하나씩 쓰러뜨렸다. 적팀의 정글러가 그녀의 눈에 띄자, 순식간에 접근해 공격을 퍼부었다. 그리고 로밍으로 적의 바텀 라인을 자주 공략했다. 적의 원거리 딜러와 서포터는 그녀의 공격에 무너졌다. "공허 속에서 이미 충만해지고 있어," 그녀가 음산한 목소리로 중얼거렸다. 16레벨의 그녀는 적팀의 멘탈을 붕괴시키기 충분했다. 그녀는 13킬 0데스를 기록하며, 적 팀을 철저히 압도했다.

상대가 말다툼 하며 싸우기 시작했다 "야, 너 뭐하냐? 왜 자꾸 죽는 거야?" "네가 미드를 못 막아서 이렇게 된 거잖아!" 서로를 비난하는 목소리가 높아졌다. 심지어 "부모님은 안녕하시냐?" 같은 소프트한 욕설까지 오갔다. 같은 팀원끼리 덕담을 나누며, 팀워크가 완전히 무너졌다.

"이게 바로 공허의 힘이지," 그녀는 미소를 지었다. 적 팀이 분열을 놓치지 않고, 그녀는 공허의 에너지를 몸에 감싸며, 다시 한번 적을 향해 돌진했다. 그녀의 눈앞에는 '승리'라는 두 글자가 뚜렷하게 보였다. 적 팀은 결국 내부 갈등과 그녀의 압도적인 피지컬에 무너졌다. 그녀는 적 팀의 넥서스를 향해 마지막 공격을 가하며, 댄스를 추며 세레모니를 했다. 그녀의 공허함은 소환사의 협곡을 지배했고, 시험을 토해 또 하나의 중요한 교훈을 얻었다. 혼돈 속에서 질서를 잡아가는 것은 때로는 파괴를 통해 이루어진다는 것을.

남 탓을 하고, 엄마를 욕하는 적들 앞에서 그녀는 자신의 마음을 다잡고, 공허 속에서 충만을 찾아야 했다.

이제는 상대편이 모두 우물 밖에서 나오지 않았다. 몇 명은 다른 차원으로 탈주한 뒤로, 경기장은 오로지 승리의 여운만 남았다. 하지만 페이커인 리신이 옆에 자꾸 나타났다. 한결같이 경쾌한 목소리로 그녀의 귀에 외쳤다. "이쿠우! 에크! 이쿠우우!"

그녀는 당황하며 리신을 바라보았다. "페이커, 게임이 끝났잖아. 왜 자꾸 이쿠우 에크를 외치는 거야?"

아담은 이 장면을 보며 해설에 더욱 열을 올렸다. "지금 페이커의 리신이 카사딘을 쫓아다니고 있습니다! 이 소리는 뭐죠? 이쿠에쿠 이크으! 정말 웃깁니다! 하지만 페이커의 리신, 라감이의 카사딘을 열심히 따라다니고 있습니다!"

리신은 멈추지 않고 계속해서 "이쿠우! 에크! 이쿠우우!"를 반복했다. 그 목소리는 마치 경기장을 떠도는 유령처럼 메아리쳤다. 그녀는 한숨을 쉬며 고개를 저었다. "내가 공허 속에 충만을 느끼지 못하는 이유는 바로 너 때문이야. 이 상황이 너무 어색해서 집중이 안 돼." 리신은 답변 대신 더욱 열정적으로 "이쿠우! 에크! 이쿠우우!"를 외쳤다. 페이커는 지도 곳곳을 돌아다니며 머리 위에 이모티콘을 사용하고, 춤을 추며 분위기를 띄웠다.

결국, 그녀는 페이커에게 다가가, 진지하게 말했다. "리신, 이게 무슨 의미가 있는 거야? 이제 아무도 없어."

그러자, 페이커는 다시 "이쿠우! 에크! 이쿠우우!"를 외치며 다른 차원으로 떠나갔다. 그녀는 페이커가 떠나자, 가족이 떠올랐다. 진정한 안정감은 팀원 같은 가족의 사랑과 애정이 충만할 때 찾아오지만, 동시에 팀원이라는 가족과 떨어져 고독 속에서의 기쁨과 자유를 누릴 때도 온다는 것을 깨달았다. 그녀는 시험 속의 전장에서 느꼈던 고독감을 되새기며, 그 속에서 오는 안정감을 떠올리며 초월했다. 그리고 공허의 상징인 바론 나샤가 15분에 소환된다는 사실은 새로운 의미로 다가왔다. 공허 속에서 태어난 바론이 땅 밑의 고독 속에서 진정한 안정을 누리고 있다는 생각이 들었다.

"바론 나샤도 아마 고독 속에서 자신을 찾고 있을 거야." 그녀는 혼잣말했다. 그리고 카사딘으로 변한 모습으로 전장을 걸으며, 바론의 고독과 자신의 고독을 비교했다. 게임 속에서 홀로 적을 무찌르는 동안 자유로웠고, 그 자유 속에서 느끼는 기쁨은 어떤 것과도 비교할 수 없었다.

가족과 함께 있을 때의 따뜻한 안정감을 그리워하면서도, 고독 속에서 느끼는 초월적인 안정감 또한 소중했다. 그녀는 자신이 진정으로 원하는 것이 무엇인지 고뇌했다. 팀원과 함께하는 안정된 삶과 혼자만의 고독 속에서 느끼는 자유로움. 결국, 이 두 가지가 모두 필요하다는 것을 깨달았다.

그녀는 카사딘의 공허의 균열을 이용해 적진으로 향하면서도, 한편으로는 가족과 소중한 기억을 되새겼다. 고독 속에서의 기쁨과 자유가 주는 안정감은 그에게 새로운 시각을 열어주었다. 그녀는 바론 나샤처럼 고독 속에서 자신을 찾고, 그 고독 속에서 진정한 안정을 누릴 수 있다는 점을 깨달았다.

고독 속에서도 초월적인 안정감을 느끼며, 다시 한번 게임 속의 전장으로 나아갔다. 그녀의 마음속에는 가족에 대한 사랑과 고독 속에서 찾은 자유로움이 교차하며 공존했다. 그녀는 자신이 느끼는 이 고독의 가치가 충만함과 공존해야 할 단어임을 깨달았다.

가족과 함께하는 시간도 소중했지만, 자신을 위해 시간을 보내는 것도 매우 중요하다는 것을 느꼈다. 딸 에바, 아들 재욱, 남편 프랑크를 위해 오븐에 굽는 쿠키의 달콤한 냄새도 사랑스러웠지만, 혼자만의 시간에 책을 읽으며 진하게 퍼지는 커피 향 또한 그녀에게 소중한 것이었다.

그녀는 자신을 위한 시간의 중요성을 깨닫고, 협곡 안의 강물을 퍼와서 물을 붓고 커피를 만들었다. 그리고 그 한 잔과 함께 블루 둥지에 들어가 책 속에 빠져들었다. 가족과 따뜻한 추억, 혼자만의 고독한 시간이 삶에 균형을 이뤘다.

한편, 에바도 엄마의 마음을 조금이나마 느꼈다. 그녀도 엄마의 자유를 위해 가끔만 만나는 것도 나쁘지 않겠다는 생각을 하게 되었다. "엄마도 혼자만의 시간이 필요하겠지," 에바는 속삭였다. 에바는 엄마와의 추억을 떠올리며, 그녀가 오븐에서 구워낸 쿠키의 따뜻한 냄새와 함께한 순간들을 떠올렸다. 그러나 엄마가 책을 읽으며 커피 향 속에 빠져있는 모습도 사랑스러웠다. 에바는 엄마가 공허 속에서 충전하는 모습을 보며 행복했다.

라감은 Ra의 변덕으로 카사딘에서 서포터 잔나로 바뀌었다. 그 순간, 그녀는 자식 같은 원딜러를 케어하며 충만한 아픔과 사랑을 동시에 느꼈다. 서포터로서의 역할은 생각보다 쉽지 않았다. 그녀는 어떻게 해야 원딜러가 자유롭게 CS를 챙기도록 도울 수 있는지 고민했다.

"CS는 건들지 말고, 와드는 꼼꼼히 박고, 렌즈로 적의 시야를 없애라," 할머니는 포탈 너머로 그녀에게 훈수를 두었다. 할머니의 목소리는 자식들에게 다정하게 조언하는 어머니의 모습과 닮아 있었다.
미드에서 홀로 고독하게 성장하던 시절과는 달리, 봇 라인에서는 원딜러와 함께 성장하는 충만함도 경험했다. 그녀는 고독 속의 안정감과 팀과 함께 성장하는 충만함이 이중관계를 이루어야만 진정한 성장이 가능하다는 점을 깨달았다. 그녀가 원딜러를 돌보는 동안, 팀은 점차 강해졌고, 그녀 자신도 성장했다. 눈빛 속에는 무언가를 깨달은 듯한 그녀의 모습이 비쳤다. 적 팀의 넥서스가 무너지고 승리의 소리가 퍼질 때, 잠시 눈을 감고 각인된 2가지 냄새를 음미했다. Ra는 깊은 깨달음을 얻은 라감을 고대석 근처로 이동시키며 의미심장한 미소를 지었다. 그녀는 삶에서 겪었던 경험이 하나로 연결되어 있음을 깨달았다. 고독과 충만, 창조와 파괴, 모든 것이 서로 맞물려 돌아가는 이중의 관계임을.

아담이 갑자기 끼어들어 말했다. "나는 탑신병자라고! 롤은 탑이지! 안 그래?"라고 외쳤다.

Ra는 아담의 행동을 가소롭다는 듯 쳐다보았다.

그녀는 고대석 근처에서 홀로 서서 새로운 결심을 하게 되었다. 자신을 둘러싼 모든 관계를 더욱 소중히 여기며, 고독 속에서도 안정감을 느끼고, 충만함 속에서도 자신의 역할을 다하는 것. 그것이 바로 그녀의 길이었다.

Ra는 그녀를 바라보며, 미소를 지었다. 그녀는 공허 속에서도 충만을 찾는 법을 배웠으며, 그것이 그녀의 안전 욕구를 충족시켰다. 공허는 그 자체로 완전한 충만이었다. 공허함 속에서 모든 것이 시작되고 다시 끝난다는 깊은 의미를 알게 되었다.

# 2-5 역설 속의 진리

할머니가 다섯 번째 시험에 출전했다. 그녀의 시험은 지혜와 인지적 욕구(배움)와 관련이 깊었으며, 이를 통해 역설 속에서 진리를 찾는 법을 배워야 했다.

할머니는 금성의 유물로 가득한 공간에 도착했다. 그곳은 마치 고대의 도서관과 같았고, 온갖 지혜와 지식이 담겨 있는 장소였다. 할머니는 신의 시험에 응하기 위해 체스를 해야 한다는 것을 알게 되었다. "체스라니…. 난 체스 규칙도 모르는데." 할머니는 걱정스러운 얼굴로 Ra에게 들으라고 아직 닫히지 않은 포탈 가까이에서 중얼거렸다.

Ra는 할머니를 체스 게임판 앞에 앉혔다. 상대로는 전설적인 체스 선수 14세가 된 가리 카스파로프를 데려왔다. Ra는 체스 시험의 기본을 두 명 모두에게 설명해줬으나, 할머니는 처음 접해보는 규정이라서, 체스의 복잡한 규칙과 전략을 전혀 이해하지 못해서 당황했다. 카스파로프도 마찬가지로 미소를 지으며 말했다. "아, 그러니까 이 말이 주인이군요. 그럼 여기를 이렇게 움직일 수 있는 건가요?" 그는 체스판 위의 말을 가볍게 움직였다.

카스파로프는 머리를 긁적이며 물었다. "제가 전에 들은 적이 있는데, '체스는 두뇌의 마라톤'이라고 하더군요. 그게 무슨 뜻인가요?"

Ra는 위엄있게 말했다. "체스는 실전이다. 깊은 전략과 예측, 그리고 인내의 싸움이다. 상대방의 움직임을 읽고, 몇 수를 예측해야 한다. 체스판 위에서 미래를 보는 것과 같다."

아무래도 카스파로프는 빠르게 적응했지만, 할머니는 아직도 게임판 위의 말들이 어디로 어떻게 움직여야 하는지조차 혼란스러웠다. 경기는 점점 더 미궁으로 빠졌다. 할머니는 시험에 떨어질까 봐 두려웠다.

Ra는 시험 전에 주었던 알약을 먹는 건 어떠냐는 목소리가 들렸다. 할머니는 망설임 없이 알약을 삼켰다. 순간, 그녀의 머릿속에 체스의 모든 전략이 떠올랐다. 할머니는 태양 빛 알약의 힘을 입어 체스를 완벽하게 이해했다고 생각했다. 그리고 즉시 이길 수 있다는 자신감으로 무장했다.

"그래, 이제 알겠어," 할머니는 속으로 말했다. "이 알약 덕분에 나는 체스의 규칙을 이해하게 되었어."

그녀는 상대의 킹을 체크할 때마다 점점 더 자신감이 붙었다. 알약의 효능이 그녀의 머릿속에서 크게 작용하는 듯했다. 관전 중인 이브는 Ra의 중얼거림을 우연히 듣게 되었다. "그 약은 실제로 아무런 효능이 없어. 그냥 설탕 알약일 뿐이야," Ra는 낮은 목소리로 중얼거렸다. 이브는 그 말을 듣고 포탈로 할머니에게 속삭였다.

"할머니," 이브가 조심스럽게 말했다. "그 약은 사실 아무런 효능이 없는 플라시보 효과였어요."

그녀의 눈동자가 흔들리며, 잠시 멈칫했다. "그게 무슨 말이니? 나는 그 약 덕분에 체스의 규칙을 이해하게 된 것 같았는데."

이브는 고개를 끄덕이며 설명했다. "할머니가 느낀 변화는 약 때문이 아니라, 약을 먹어서 잘할 거라는 할머니 스스로 믿음 때문이었어요. 그게 바로 플라시보 효과예요. 실제로 약이 아무런 효능이 없더라도, 우리가 그것을 믿고 있을 때 몸과 마음이 반응하는 거죠."

할머니는 충격을 받은 듯 잠시 말을 잃었다. 그녀의 마음속에서 역설이 일어났다. 약이 아무런 효능이 없다는 사실을 알게 되자, 그동안 느꼈던 자신감과 깨달음이 모두 사라지는 것 같았다. 그러나 곧 그녀는 깊은 깨달음에 도달했다.

"그렇다면," 할머니는 천천히 말했다. "내가 체스를 이해하게 된 것은 결국 나 자신 때문이었구나. 약이 아니라, 내 믿음이 나를 이끌어 준 거야."

이제 그녀는 새로운 진리를 찾아가는 과정에 서 있었다. 할머니는 체스판 위의 말을 바라봤다. 상대방의 말들이 어디에 있고, 어떻게 움직일지 천천히 생각했다. 그리고 자신의 능력과 직관을 믿어보기로 했다. 약의 힘이 아닌, 지혜로 승부를 보기 위해 할머니는 체스판 위에서 상대의 수를 예측하고, 전략을 세우기 시작했다. 상대의 킹을 체크메이트 하기 위해 여러 가지 수를 두며 깊이 고민했다.

비로소 할머니는 게임의 규칙을 진정으로 이해하고 있었다. "그게 바로 진리예요. 우리가 스스로 믿고, 노력할 때 진정한 성장을 이룰 수 있는 거죠. 약이든, 어떤 다른 외부의 도움을 받든, 결국 우리 자신이 그 중심에 있어야 해요." 이브가 쫑알거렸다.

할머니는 고개를 끄덕였다. "그래, 이브. 이제 알겠어. 역설 속에서 진리를 찾는 과정이야말로 가장 중요한 것이라는 걸."

"내가 이 알약을 먹고 나서 규칙을 알게 된 것처럼 느끼는 건, 마치 우리가 아플 때 약을 먹고 나서 괜찮아지는 느낌과 같은 거야. 그저 내 마음이, 내 의식이 그렇게 믿게 만든 것뿐이야. 이건 인간 중심 사고의 한 예일 뿐이야."

그녀는 상대의 말을 주시하며 계속 혼잣말을 이어갔다. "인간은 이렇게 자기 자신을 속이면서 살아가는지도 몰라. 약을 먹으면 병이 나을 거라고 믿고, 새로운 지식을 습득할 때 그게 진짜 내 것이 된다고 믿고. 하지만 그 믿음이 때로는 우리의 한계를 넘어설 수 있게 해주지. 알약은 아무런 효능도 없었지만, 나는 이제 체스를 조금 더 이해하게 되었어. 그게 중요한 거야."

할머니는 다시 게임판 위를 응시하며 미소를 지었다. "내가 지금 이해한 이 규칙들이 진짜인지, 아니면 단지 내 머릿속에서 만들어진 환상인지 중요하지 않아. 중요한 건 내가 지금 이 순간 체스를 즐기고 있다는 사실이야."

카스파로프는 고개를 끄덕이며 말했다. "맞아요, 제가 전에 보비 피셔와 한 경기를 떠올리네요. 그때도 이렇게 전략을 세우면서 미래를 예측하려고 애썼죠. 그가 한 수를 둘 때마다, 그의 머릿속에서 무슨 생각을 하고 있을지 상상하는 것이 정말 재미있었어요."

할머니가 웃으며 질문했다. "아직 넌 14살인데 어디서 보비 피셔라는 친구와 경기를 했지?"

카스파로프는 잠시 체스판 위를 응시하다가 미소를 지으며 대답했다. "저는 미래를 내다보는 눈이 있죠. 그게 마치 보비 피셔의 환영을 만들었나 보군요. 하지만 그와의 대결이 너무 생생했고, 마치 실제로 그와 마주 앉아 있는 것 같았어요."

말을 움직이면서 할머니가 되물었다. "그렇다면, 보비 피셔와의 가상 대결에서 어떤 점이 가장 인상적이었나요?"

카스파로프도 체스판의 말을 손가락으로 가볍게 톡톡 치며 말했다. "그는 예측 능력이 정말 대단했어요. 마치 제가 어떤 수를 두더라도 이미 다 알고 있는 것처럼 대응하더군요. 그의 움직임 하나하나가 저에게 새로운 도전을 주었고, 그 과정에서 많은 것을 배웠죠. 특히, 그의 수를 예상하고 대처하는 과정에서 제 전략적 사고가 많이 향상됐습니다."

할머니는 고개를 끄덕이며 말했다. "환영이라 해도, 그 경험이 당신에게 큰 영향을 미쳤군요."

카스파로프는 미소를 지으며 대답했다. "맞아요. 그 환영 덕분에 체스를 향한 제 열정이 더욱 커졌어요. 그리고 오늘 이렇게 할머니와 체스를 두며 또 다른 도전을 즐길 수 있어서 정말 행복합니다."

할머니는 체스판을 바라보며 말했다. "이제 알겠군요. 체스는 시간과 공간을 넘나드는 깊은 경험이군요."

카스파로프는 고개를 끄덕이며 말했다. "맞습니다. 체스는 우리는 과거와 미래, 현실과 환상의 경계를 넘나들며 끝없는 배움을 줍니다."

그녀는 상대의 킹을 궁지로 몰며 마지막 한 수를 두었다. "체스는 인생과 같아. 때로는 규칙을 모르고도 즐길 수 있고, 때로는 그저 믿음만으로도 충분해. 중요한 건, 그 과정에서 내가 얼마나 배우고, 얼마나 성장하는가 하는 것이지."

Ra는 이번에는 할머니에게 보비 피셔를 상대하도록 했다. 체스판에 앉은 할머니는 상대의 날카로운 눈빛을 느끼며 긴장했다. 상대의 빠르고 정확한 수에 따라가기가 쉽지 않았다.

"어떻게 이런 수를 둘 수 있지?" 할머니는 혼란스러운 마음으로 체스판을 바라보았다. 경기가 계속될수록, 할머니는 하나의 중요한 진리를 깨달았다. 체스는 논리와 전략의 싸움이었으며, 동시에 예측 불가능한 혼란과도 같았다. 할머니는 상대의 수를 읽으면서, 진리는 하나의 얼굴을 가지지 않는다는 것을 깨달았다.

"진리는 항상 변하고, 그 모습도 다르구나." 할머니는 자신에게 그렇게 다짐하며, 체스판 위에서 끊임없이 고민하고, 새로운 수를 두었다. 그녀는 자신의 모든 지혜를 동원하여, 경기를 이어갔다.

결국, 연이어 패배의 쓴맛을 보았지만, 그녀는 단념하지 않았다. 매번의 패배 속에서 체스 게임의 새로운 방법을 배웠다. 그러나 이 또한 역설이었다. 상대를 통해 배워가는 과정에서 그녀는 패배했지만, 패배 없이는 진정한 성장을 이룰 수 없었다.

"역설이란 진리를 찾아가는 과정이야. 역설이 없다면 진리를 찾지 못해," 할머니는 자신에게 나지막이 속삭였다.

경기가 끝난 후, Ra는 할머니를 바라보며 고개를 끄덕였다. "패배 속에서 배우는 것도 중요한 진리다"

"그렇다면, 진리를 아는 것이 항상 선일까?" 그녀는 스스로 물었다. "모르는 것이 있어야 배우려는 동기가 생기지. '무지'는 인간에게 가장 큰 선물이자 축복이구나."

관전자였던 에바는 이 장면을 보며 마음이 흔들렸다. "Ra, 그 알약을 줬던 것이 불공평하다고 항의했던 제가 죄송합니다."

라감은 고개를 끄덕이며 말했다. "할머니가 처음부터 알약에 의존하지 않았다면, 그녀는 진정한 배움과 진리를 빨리 깨우칠 수 있었을 거야."

영환이가 대화에 끼어들었다. "진리를 빠르게 안다고 해서 무지가 신속하게 사라진다면, 가장 큰 선물의 포장지를 너무 빨리 풀어보니, 삶의 기대감이 없지 않을까? 무지 속에서 배우는 기쁨과 과정이야말로 본질적인 즐거움이 아닐까?"

모두가 그의 말을 곱씹으며 잠시 침묵했다. 할머니는 생각에 잠긴 표정으로 고개를 들었다. "그래, 맞아. 배움의 과정이 바로 삶의 진정한 가치지."

에바는 그 말을 들으며 할머니를 바라보았다. "할머니, 진짜 중요한 걸 배운 것 같아요. 그리고 우리 모두도요." 라감도 할머니에게 따뜻하게 미소 지었다. 할머니는 고개를 살며시 끄덕였다. "맞아. 그리고 나는 그 길을 계속 걸어갈 거야. 무지 속에서 배우고, 그 배움 속에서 진리를 찾는 것. 그게 바로 내가 가야 할 길이야."

역설 속에서 진리를 찾는 법을 배운 할머니는 자신의 인지적 욕구를 충족시켰다. 그녀는 이제 진리가 단순하지 않다는 것을, 그리고 그 속에서 더 깊은 의미를 찾아야 한다는 것을 깨달았다.

"진리는 하나의 얼굴을 가지지 않아. 그것은 역설 속에서 더 깊은 의미를 찾아야 해."

이브는 고개를 저으며 할머니를 바라보았다. "역설은 실제로는 알지 못하면서 아는 것처럼 느끼는 거죠."

할머니는 또 다른 깨달음이 마음에 스며들었다. "그렇구나…. 우리가 항상 모든 것을 알 필요는 없어. 모르는 것이 있어야 배우려는 동기가 생기고, 그 과정에서 성장하는 거야."

"그래, 내가 직접 배우고 성장하는 과정이 중요해. 알약에 의존하는 것이 아니라, 나 자신의 힘으로 이 길을 걸어가야 해!"

Ra는 할머니를 고대석으로 불러들였다. 그녀가 포탈을 통과해 고대석에 다다랐을 때, 주위에서 책이 불타고 재가 되는 냄새가 풍겨왔다. 그 불타는 냄새는 그녀에게 지금까지의 지식이 재로 돌아가는 순간을 상징하는 듯했다. 할머니는 불타는 책의 탄내를 맡으며, 자신이 알던 모든 것을 잃어버렸지만, 그 속에서 새로운 깨달음을 얻었다.

"모든 것을 아는 것이 중요한 것이 아니야," 할머니는 중얼거렸다. "무지를 받아들이고, 그 속에서 배우고 성장하는 것이야말로 진정한 축복이지." 역설 속에서 진리를 찾는 시험은 논리와 상식을 초월한 사고를 요구했다. 진리는 하나의 얼굴을 가지지 않았으며, 역설 속에서 더 깊은 의미를 찾아야 했다. 신의 본질은 이러한 역설 속에서 드러났다.

# 2-6 유한함 속의 무한함

아담이 여섯 번째 시험에 출전했다. 그의 시험은 생리적 욕구, 특히 성욕과 관련이 깊었으며, 이를 통해 무한한 유한성을 경험하는 법을 배워야 했다.

그는 하염없이 전쟁이 벌어지는 스타크래프트의 세계에 도착했다. "너는 이 전장에서 유한한 자원과 시간 속에서 무한한 가능성을 찾아야 한다." Ra의 목소리가 들렸다.

시험이 시작되자, Ra는 그에게 종족을 고르라고 명령했다. 아담은 가장 강한 종족인 테란을 선택하며, "테사기"라는 별명을 되뇌었다. 그렇게 그의 종족이 골라지자, 자동으로 상대종족은 저그로 정해졌다. 이 선택은 마치 양자역학의 얽힘 원리를 상징하는 듯했다.

관전자 중 한 명인 영환이 흥미롭게 말했다. "모든 것이 결정되기 전까지는 불확실성이 존재하는 법이지."

아담은 마린으로 태어났다. 그는 생리적 욕구와 성욕을 통제하며, 유한한 생명의 순간 속에서도 무한한 의미를 찾아내야 했다. 하지만 그의 마음속에는 다른 목표가 있었다. 바로 메딕을 찾는 것이었다.

"메딕을 찾아야 한다…. 그래야 모든 것이 해결될 거야." 아담은 자신에게 그렇게 다짐하며, 전장을 누볐다.

아담은 메딕을 찾아다니며, 자신의 생리적 욕구와 마주했다. 성욕에 사로잡힌 그는 전투 중에도 줄곧 메딕을 찾았다.

그는 단순한 보병이었지만, 강한 의지와 용기를 지녔다. 몸은 단단한 갑옷으로 보호되었으며, 손에는 강력한 라이플이 들려 있었다. 스팀팩을 주입하며 옆에서 동료를 치료하는 메딕에게로 향했다.

"메딕 누나," 아담은 장난스러운 목소리로 그녀를 불렀다. 메딕은 아담의 부름에 고개를 돌려 그를 바라보았다.

"이번 전투는 좀 힘들겠어. 스팀팩을 너무 많이 썼더니 심장이 터질 것 같아."

메딕은 미소를 지으며 말했다. "그러니까 조심하세요, 아담. 너무 무리하지 말고."

아담은 웃으며 스팀팩을 한 번 더 주입했다. 그의 체력은 줄어들었지만, 공격력과 속도는 눈에 띄게 증가했다. "누나, 내가 보여줄게 있어. 잘 봐!" 그는 스팀팩 효과와 함께 자신의 몸이 커졌다가 작아졌다 하는 것을 과장되게 표현했다. 스팀팩을 맞으면 몸이 커지고, 잠시 후 효과가 사라지면 다시 작아지는 모습을 반복하며 장난을 쳤다. "봐, 누나. 정말 신기하지 않아?"

메딕은 눈살을 찌푸리며 고개를 저었지만, 입가에는 미소가 번졌다. "정말, 아담. 전투 중에 무슨 장난이야. 미네랄 뒤에 숨어서 그런 걸 하고 있으니 웃기지도 않네."

아담은 웃음을 터뜨리며 말했다. "누나도 여기 미네랄 뒤에 와서 봐봐. 진짜로 커졌다. 작아졌다 하는 거라니까!"

메딕은 한숨을 쉬며 미네랄 뒤로 다가갔다. "그래, 한번 봐줄게. 그런데 이게 뭐가 그렇게 신기하다고…."

아담은 그녀가 가까이 오자 스팀팩을 주입하며 몸을 크게 부풀렸다가, 효과가 사라지며 다시 원래 크기로 돌아갔다. 그녀는 웃음을 참지 못하고 말했다. "정말 어이없어. 하지만 그렇게 열심히 장난만 치다니, 그 열정만큼은 인정해줄게."

아담은 장난스러운 미소를 지으며 말했다. "그렇다면 누나, 전투가 끝나면 나랑 데이트라도 할래?"

메딕은 고개를 젓고 웃으며 말했다. "전투가 끝나면 치료해야 할 병사들이 한가득해. 데이트는 그다음에나 생각해보자고."

아담은 그 말에 만족한 듯 고개를 끄덕였다. "좋아, 그럼 그때까지 내가 더 멋지게 커졌다. 작아졌다 할 테니까 기대해!"

그러자, 메딕 누나는 이번에는 알아듣지 못하는 그에게 팩트 폭행을 날렸다. 유한맵에서 본업에 열중하지 않으며, 여자만 꼬시려는 남자는 싫다고 단호하게 말했다.

이브는 경기의 흐름을 해설하면서도 아담에 대한 질투와 불만을 숨기지 않았다. "여러분, 지금 아담 선수는 메딕만 주구장창 꼬시고 있네요. 정작 중요한 전투는 신경도 안 쓰고 말이죠. 이러다가 나중에 히드라리스크의 침에 얼굴이 범벅될 거예요. 이게 다 메딕만 보고 있어서 그런 거 아니겠습니까?"

"아, 저기 보세요! 지금 마린은 또 메딕을 보호하려고 공격을 하지 않아요. 이렇게 하다가 정작 중요한 타이밍을 놓치면 어쩌려고 그러는지 모르겠네요. 메딕도 좋지만, 좀 더 전략적으로 움직여야 하지 않겠습니까?" 이브는 아담의 플레이를 비판하면서도 내심 그를 향한 질투와 불만을 드러냈다.

자존심이 상한 그는 SCV 옆에서 자원을 캐기 시작했다. 그는 자신이 상위 유닛으로 진화해서 능력을 증명하고자 했다. 그 모습을 지켜보던 할머니는 고개를 끄덕이며 중얼거리기 시작했다. "저그를 상대하려면 말이지, 원 배럭 더블을 해야 하는 거야. 원 배럭 더블이란, 초반에 병영 하나 짓고 빠르게 커맨드 명령 센터를 추가 건설하는 전략이지." 할머니는 설명을 이어갔다.

"그리고 메카닉보다는 바이오닉이 더 효율적일 때가 많아. 메카닉은 탱크와 골리앗, 벌처를 중심으로 한 전략인데, 바이오닉은 마린, 메딕, 파맷과 같은 유닛으로 구성된 전략이야. 저그는 기동력이 강하니까 바이오닉이 대응하기 더 좋아. 그리고 다시 입을 열었다. "드랍십의 변수도 크지. 드랍십을 활용하면 상대 후방을 공격하거나, 본진의 중요한 건물을 파괴할 수 있어. 하지만, 상대가 고테크 유닛을 뽑는 하이브 단계라면, 레이트 메카닉도 나쁘지 않지. 그러면 고급 유닛들로 방어력을 강화할 수 있어."

할머니의 주절주절한 설명은 아담의 귀에 전혀 들어오지 않았다. "좋아, 할머니. 메딕 누나와 빨리 데이트 하고 싶어!"

할머니는 고개를 절레절레 저었다. "그래, 아담. 상위 유닛으로 진화하는 모습까지는 보고 싶구나."

아담은 할머니의 잔소리에 자원을 모으고 업그레이드한 후, 파이어뱃으로 진화했다. 그의 외형은 더욱 강력해졌고, 손에는 불을 뿜는 화염방사기가 들려 있었다. 그의 갑옷은 더욱 두꺼워졌고, 불길을 막아낼 수 있는 강한 내열성을 지녔다. 다음 단계로, 고스트로 진화했다. 그는 은신 능력을 갖추었고, 고도의 첩보 임무를 수행할 수 있는 엘리트 병사였다. 몸은 가벼운 갑옷으로 덮여 있었고, 손에는 저격 소총이 들려 있었다. 헬멧에는 고성능 야간 투시경이 장착되어 있었다. 그 후, 아담은 탱크로 진화했다. 신체가 강력한 기계로 변했으며, 중무장한 포탑과 두꺼운 장갑을 지니게 되었다. 전장에서 적의 공격을 막아내고, 강력한 화력을 제공하는 중심 역할을 맡았다. 마지막으로, 아담은 배틀쿠르저로 진화했다. 기계였던 신체가 거대한 우주 전함으로 변해, 하늘을 나는 위엄을 뿜어냈다. 배틀쿠르저는 강력한 레이저 포와 미사일을 장착하고 있었으며, 하늘과 땅을 넘나들며 전장을 지배했다. 자신의 강함을 만끽하며 주변을 살폈다. 그때, 캠프 아래에서 벌처를 타고 있는 누군가가 메딕에게 찝쩍대는 장면이 눈에 들어왔다.

벌처를 탄 조종사는 메딕에게 다가가며 능글맞게 말했다. "메딕 누나, 태워줄까? 이 벌처는 속도도 빠르고, 정말 멋지다고!"

메딕은 귀찮은 표정으로 벌처를 쳐다보며 답했다. "제발 그만 좀 해. 난 지금 바쁘다고."

아담은 그 모습을 보고 참을 수 없었다. 하늘에서 아담의 목소리가 울려 퍼졌다. "야마토 포, 발사 준비!"

벌처는 고개를 들어 하늘을 쳐다보며 놀란 표정을 지었다. "뭐야, 이게?!" 아담은 이미 야마토 포의 조준을 마친 상태였다. "메딕을 귀찮게 하지 마라!" 아담은 강력한 야마토 포를 발사했고, 붉은 광선이 벌처를 향해 날아갔다.

파일럿은 피할 새도 없이 폭발에 휘말렸고, 벌쳐는 산산조각이 나며 하늘로 흩어졌다. 메딕은 이 장면을 보고 깜짝 놀랐다. 아담은 몸을 착륙하며 자랑스럽게 말했다. "누나, 이제 아무도 귀찮게 하지 않을 거야. 내가 지켜줄 테니까."

그때, 벌쳐는 펙토리에서 멀쩡한 모습으로 리스폰되어 나타났다. 그는 땅에 주저앉아 푸른 연기를 털어내며 말했다. "아담, 다음엔 좀 더 자비를 베풀어줘. 그래도 교훈은 얻었어. 메딕에게 나대면 야마토 포를 맞는다는 거 말이야."

아담은 크게 웃으며 답했다. "좋아, 다음엔 좀 더 신중하게 행동하라고. 누나를 귀찮게 하면 이렇게 된다는 걸 명심해." 그리고 아담은 다시 누나를 꾀려 했다.

"누나와 함께 있으면 내 모든 시스템이 최적화되는 것 같아," 아담은 배틀쿠르저의 통신 시스템으로 부드럽게 말했다. "누나의 얼굴은 내 엔진의 맥스 속도보다 더 빠르게 내 심장을 뛰게 해."

메딕은 눈을 깜박이며 아담을 바라보았다. "그렇게 말하는 이유가 뭔데, 배틀쿠르저?"

아담은 한층 더 다가가며 말했다, "누나의 손길은 내 장갑을 뚫고 내 핵심까지 닿을 수 있어. 같이 전투를 치르는 것만큼이나, 누나가 내 곁에 있으면 매일매일 승리한 것 같거든."

메딕은 웃음을 터뜨리며 말했다, "그래? 그렇다면 나도 너와 함께 전장을 지켜줄게. 하지만 조건이 있어, 절대 내 옆에서 미사일 발사하지 마. 우리 같이 안전한 작전을 수행하자고."

"당연하지," 아담은 진지하게 대답했다. "함께라면, 전투도 치유도 완벽하게 해낼 수 있을 거야. 우린 최고의 팀이 될 거야."

메딕은 살짝 미소를 지으며 대답했다. "근데, 최고의 팀이 되려면, 나에게 보상이 필요하지 않을까? 무한한 선물과 자원이면 좋겠는데."

아담은 눈을 깜빡이며 말했다, "어떤 선물과 자원을 말하는 건데?"

메딕은 대답했다, "글쎄, 끝이 없는 치킨과 무한한 에너지 음료, 그리고 매일 아침에 신선한 꽃으로 가득 찬 방이 있었으면 좋겠어. 그리고 거대한 수영장이 있는 궁전도 하나 있었으면 좋겠고, 아, 그리고 전투할 때 입을 무적의 슈퍼 갑옷도 필요해. 언제든지 부를 수 있는 전용 운송선도 하나 추가해줘. 그 정도면 되겠어."

아담은 대충 흘려들으며 말했다, "알겠어. 내가 자원을 모아서 줄게."

메딕은 빙긋 웃으며 말했다, "그리고 나를 위한 금화 산더미와 각종 보석도 잊지 말아줘. 그리고 매주 다이아몬드로 덮인 피자도 원해. 그렇게 하면, 내가 너랑 사귀어줄게."

아담은 그녀의 말에 정신이 팔려 고개를 끄덕였다. "그럼, 그럼. 모든 걸 준비할게. 준비되면, 우리 몸을 합치자."

하지만, 아담은 그녀에게 정신이 팔려 자원 관리와 본진 방어를 소홀히 했다. 그 사이, 꿰에엑 하는 소리가 들리며, 저그의 침공이 시작되었다.

스타크래프트 특유의 배경음이 어둡게 깔리는 가운데, 저그의 뮤탈리스크들이 공중에서 윙윙거리며 날아들었다. 그들은 빠른 속도로 아담의 커맨드 센터를 향해 돌진했다. 그 뒤를 이어 저글링들이 무리 지어 따라왔고, 발톱이 땅을 파고드는 소리가 무서웠다. 퀸이 등장하며 공포를 더욱 배가시켰다. 은밀히 접근해 커맨드 센터를 감염시키기 시작했다. 곧 커맨드 센터는 감염된 테란으로 변하며, 그 주변에 징그러운 덩굴과 포자가 퍼져 나갔다. 아담의 방어 타워들은 하나둘씩 무너지고, 일꾼들은 감염되어 괴상한 소리를 내며 변이하기 시작했다.

아담은 "감염 완료"라는 소리와 메딕 누나의 웃음소리가 겹쳐 들려왔다. 그리고 상황을 깨닫고 급히 방어를 정비하려 했지만, 이미 파국이었다. 스타크래프트 특유의 경고음이 울리며, "베이스가 공격받고 있습니다"라는 알림이 계속해서 나왔다. 아담은 급히 남은 병력을 모아 방어를 재구축했지만, 감염된 테란 병사들이 그의 병력을 공격하며 사방에서 혼란이 일었다.

"게임 종료"라며 하늘에서 소리가 울리자, 아담은 깊은 한숨을 내쉬었다. 저그의 군대는 승리의 포효를 내지르고 있었다. 배경음은 여전히 어두운 분위기를 유지하며, 게임 속 세계의 무자비함을 상기시켰다. Ra는 아담을 보고 크게 웃으며 무한맵으로 바꿔주었다. 아담은 갑작스럽게 넘쳐나는 자원에 들떴다. 유한맵에서의 절박함과 긴장이 사라진 대신, 이제는 무한한 자원을 이용해 메딕 누나와 빨리 잠자리를 가지기 위해 빠르게 발전을 시도했다. 그러나, 그 과정에서 그는 이전의 헝그리 정신 속 제로섬 게임이 주는 도전과 재미를 잃어버렸다.

무한한 자원 속에서 아담은 점차 방탕한 생활을 하게 되었다. 그는 가스 마약에 손을 대기 시작했다. 전략이나 목표가 아닌, 오직 본능만으로 움직이는 짐승이 되어버렸다. 그를 보는 관전자들은 인간의 본능이란 얼마나 쉽게 타락할 수 있는지 실감했다.

아담은 곧 무한함 속에서 창의력이 억제되고 있음을 깨달았다. 도 전도 없고, 긴장감도 사라져버렸다. 그는 세상을 제로섬 게임이라고 인식해야 하는 이중성을 실감했다. 유한한 생명을 가진 남자인 아 담과 여자인 메딕이 아이를 만드는 행위가 무한성에 가까운 창조적 행위라는 점에서, 생리적 욕구도 마찬가지였다.

관전자 에바는 스타크래프트 안에서 상대가 자신의 진영을 공격하 는 와중에도 갑옷을 모두 벗어 던지고 알몸으로 뛰어다니는 아담을 보며 혀를 찼다. "크긴 크네. 근데 옷 좀 입어라!" 에바는 호통을 쳤지만, 아담은 역시 메딕을 찾는 데만 혈안이 되어 있었다.

이브는 메딕만 찾아다니는 아담의 모습을 보며 질투의 불길이 더 타올랐다. "도대체 왜 메딕만 쫓아다니는 거야? 다른 건 아무것도 안 보이나?" 이브는 아담에게 화를 내며 자신의 마음을 표출했다.

아담의 이중적 태도와 욕망, 그리고 무한함 속에서 길을 잃어버린 그의 모습은 중요한 교훈을 안겨주었다. 그는 결국, 유한한 삶 속에 서의 창의성과 무한한 가능성의 의미를 깊이 생각했다. 사실, 세상 이 제로섬 게임이 아니더라도 유한함이 있어야지만, 무한한 창의력 이 발현된다는 진리를 알게 된 것이다. 그는 이제 무한한 자원 속 에서 의미를 찾지 못하고 방황하는 자신을 보며, 유한함이 주는 축 복을 진정으로 이해하게 되었다. 그리고 아담이 게임 속에서 메딕 에게 느낀 성욕도 무한성을 만드는 창조적 행위라고 생각했다.

아이를 낳는 과정도 결국 유한한 생명 속 무한대를 원하는 아주 자연스러운 생명체의 본능과 욕구임을 깨달았다. 그 순간, 어디선가 스멀스멀 올라오는 비릿한 밤꽃 냄새가 코를 찔렀다.

Ra는 그의 얼굴에 잠깐이나마 비친 깨달음의 빛을 놓치지 않았다.

"유한 속에서도 무한한 가능성이 있어. 나는 그것을 깨달았어."

Ra는 그가 대충이라도 깨달음을 얻자 크게 웃으며 말했다. "그냥 나와!" Ra가 포탈을 열어주자, 아담은 곧 고대석 근처로 이동했다.

아담은 Ra의 반응에 어리둥절했지만, 어딘가 모르게 후련한 느낌이 들었다. 그의 마음속에서는 밤꽃 냄새가 여전히 그윽하게 풍기며, 깨달음의 향기로 남아 있었다.

# 2-7 허상 속의 본질

영환은 일곱 번째 시험에 출전했다. 그는 자아실현의 욕구를 충족하는 과정으로 삶의 의미를 되찾는 것이었다.

"네가 겉으로 보이는 모습 뒤에 숨겨진 본질을 찾는 것이 이번 시험의 목표다." Ra가 말했다.

영환은 시험의 시작을 알리는 휘슬 소리와 함께 NBA 농구 코트에 발을 들였다. 아레나의 화려한 조명과 수천 명의 관중의 시끄러운 환호 속에서, 심장은 빠르게 뛰기 시작했다. 그의 팀에는 신명호와 자밀워니가 있었고, 상대 팀에는 제임스 하든과 르브론 제임스 그리고 카이리 어빙이 기다리고 있었다. 이 세 명의 전설적인 선수들은 전설적 존재들이었다.

경기가 시작되기 전, 관중석에서 아담과 이브는 흥미로운 대화를 나눴다. 그들의 얼굴에는 장난기 어린 미소가 번져 있었다. 아담이 이브에게 몸을 기울이며 속삭였다. "이브, 저기 영환이 있는 팀이랑 하든, 르브론, 어빙이 있는 팀이 맞붙는다고? 우리 스포츠 토토 한 번 해볼까?"

이브는 깔깔 웃으며 말했다. "영환 팀이 이길 가능성은 거의 없겠지. 아무리 봐도 상대 팀이 압도적일 거야. 얼마 걸 거야?"

아담은 생각에 잠긴 듯 고개를 끄덕이며 말했다. "음, 우리 가진 돈 다 걸어보는 건 어때? 어차피 이길 확률은 거의 없잖아. 그럼 한 몫 단단히 챙길 수 있을 거야."

이브는 장난스럽게 눈썹을 추켜세우며 대답했다. "진짜로? 전부 다 걸자고? 그럼 우린 완전히 무일푼이 될 수도 있어. 그래도 괜찮아?"

아담은 웃음을 터뜨리며 말했다. "뭐, 인생은 한 방이잖아. 그리고 만약 진짜로 영환 팀이 이기면, 그건 그거대로 재밌겠지."

이브는 고개를 끄덕이며 핸드폰을 꺼내 토토 사이트에 접속했다. "좋아, 걸자. 전부! 영환 팀이 지는 쪽에 거액을 걸어보는 거야."

아담은 그녀 옆에서 거들었다. "여기서 금액 입력하고…. 확인 누르면 되는 거야. 됐어! 우리 인생 최대의 베팅이야!"
둘은 손을 잡고 크게 웃었다. "이거 제대로 한 번 걸어보는 거야!"
이브는 농구 코트를 바라보며 중얼거렸다. "선구자. 미안하지만, 시험에 탈락해라."

경기장에서는 선수들이 이미 몸을 풀며 준비를 마쳤다. 영환은 관중석에서 그들의 웃음을 듣고 잠시 고개를 돌려 보았다. 아담과 이브가 눈에 들어왔고, 그들은 손을 흔들며 장난스럽게 응원했다.

영환은 이를 악물고 중얼거렸다. "좋아, 보여주겠어. 우리 팀이 얼마나 강한지 알려주마."

경기가 시작되자마자, 상대 팀 감독의 목소리가 아레나에 울려 퍼졌다. "신명호는 내버려 둬." 영환은 팀의 에이스로서 책임감을 느끼며 코트를 누비기 시작했다. 그러나 르브론 제임스의 압도적인 피지컬과 제임스 하든의 예리한 스텝백 3점슛 앞에서 그의 모든 노력이 무색해지는 순간이 이어졌다. "지금 경기장에서는 제임스 하든이 또 한 번의 스텝백 3점을 시도합니다! 드리블로 상대를 현혹한 후, 강렬한 스텝백! 그리고 슛! 공이 아름다운 궤적을 그리며 림을 통과합니다! 또 들어갔어요! 하든의 딥쓰리가 오늘도 불타오르고 있습니다!"

아담의 목소리는 흥분으로 가득 찼다. 하든의 플레이에 관중들은 열광했다. 하지만 수비의 대가 신명호는 분노를 억누르지 못했다. 신명호는 하든의 끊임없는 3점 슛에 완전히 지친 표정이었다.

"여러분, 지금 신명호의 표정을 보세요! 하든의 스텝 백 3점에 완전히 당황한 모습입니다. 신명호가 열심히 수비를 펼치지만, 하든의 스텝 백과 딥쓰리는 그를 좌절시키고 있습니다. 이 장면, 정말 재미있습니다!"

아담은 웃음을 참지 못하며 해설을 이어갔다. "다시 한번 하든이 움직입니다! 스텝 백! 딥쓰리! 그리고…. 또 들어갑니다! 신명호는 그 자리에 멈춰서 어이없다는 표정입니다." "신명호, 그의 수비 능력을 믿어보지만, 오늘은 하든의 슛을 막기엔 역부족입니다! 이 경기는 정말로 잊을 수 없는 명장면들로 가득합니다!"

작전 타임이 선언되었고, 선수들이 벤치로 돌아왔다. 영환은 땀으로 범벅이 된 얼굴로 감독을 바라보며 절박하게 말했다. "감독님, 스테판커리를 데려 와주세요. 우리에겐 그가 필요해요."

그러자 자밀워니가 성난 목소리로 되받아쳤다. "자밀워니가 있는데 커리가 뭐 어떡해?" 말 속에는 자존심과 자신감이 깃들어 있었다. 그는 팀의 중심으로서, 충분히 해낼 수 있다는 믿음을 보여주려 했으나 영환은 워니의 말에 동의하지 않았다. 감독은 선수들의 열띤 논쟁을 잠시 지켜보더니, 고개를 끄덕이며 결단을 내렸다. "우리는 현재의 팀으로 싸운다. 믿음을 가져라."

영환은 깊은 한숨을 쉬며 다시 코트로 나섰다. 그의 머릿속에는 '힘의 논리'와 '삶의 의미'라는 시험의 본질이 맴돌았다. 코트 위의 치열한 승부는 인생과도 같았다. 상대 팀은 NBA의 전설적인 선수인 마이클 조던도 벤치에서 수건을 던지며 코트에 합류했다. 다시 게임이 시작되자, 힘 농구와 기술농구의 대결이 펼쳐졌다.
르브론 제임스는 힘 농구의 대표적인 선수였다. 그의 강력한 몸싸움과 폭발적인 힘은 우리 팀을 압도했다. 영환은 그의 힘에 맞서 싸우며, 힘의 논리를 이해하려고 노력했다.

"힘이 모든 것을 지배하는 것인가?" 스스로 물었다. "이것이 삶의 본질인가?"

반면에, 제임스 하든과 카이리 어빙은 기술농구의 대가였다. 그들의 빠른 드리블과 정교한 슛은 그에게 새로운 시각을 열어주었다. 기술과 전략으로 상대방을 압도하는 모습을 보며, "기술과 전략이야말로 진정한 힘인가?" 다시금 질문했다.

게임이 진행될수록, 그는 힘과 기술의 균형을 맞추는 것이 중요하다는 점을 깨달았다. 겉으로 드러난 힘과 기술은 단지 허상일 뿐, 그 뒤에 숨겨진 본질을 찾는 것이 진정한 진리였다.

경기 중반, 자밀워니가 재빠르게 드리블을 하며 코트를 가로질러 움직였다. 그는 적절한 패스를 보낼 순간을 기다렸다. 마침내, 날카로운 패스를 영환이에게 보냈다. 그는 카이리 어빙을 앞에 두고 있었다. 순간적으로 멈춰서 어빙의 움직임을 읽고, 재빠르게 스탭백 동작을 취했다. 어빙은 뒤따라 그를 막으려 했지만, 이미 늦었다. 그의 완벽한 스탭백 3점 슛은 포물선을 그리며 깔끔하게 링을 통과했다.

관중석에서 함성이 터져 나왔고, 적팀의 감독은 분노에 차서 소리쳤다. "신명호는 놔두라고!"

자밀워니는 미소를 지으며 영환이에게 다가갔다. 그리고 엄지손가락을 치켜들며 말했다. "GOAT!" 그러면서 염소 소리를 냈다. 메에 영환은 그저 웃으며 워니의 등을 친 뒤, 코트로 빠르게 돌아갔다.

그는 게임 도중 끊임없이 고뇌하고, 철학적인 질문을 던졌다. "삶의 의미는 무엇인가? 힘과 기술 중 무엇이 더 중요한가? 나는 누구인가?"

이 질문들은 그의 자아실현 욕구를 자극했다. 그는 힘과 기술은 단지 도구일 뿐, 진정한 삶의 의미는 그 도구들을 어떻게 사용하느냐에 달려 있었다. 본질은 겉모습이 아닌, 그 이면에 숨겨진 진정한 가치에 있었다.

"힘과 기술은 서로를 보완하는 존재야," 영환은 자신에게 말했다. "이 둘을 조화롭게 사용하는 것이야말로 삶의 진정한 의미야."

3쿼터 초반, 상대 팀이 크게 점수를 앞서가자, 추격의 여지를 아예 끊어버리기 위해 코트에 나간 선수들의 휴식시간을 주었다. 그리고 우리 팀은 열띤 토론 속의 작전을 세웠다.

다시 심판의 휘슬이 불리자, 아레나의 분위기는 더욱 뜨겁게 달아올랐다. 그의 눈앞에는 믿기 힘든 광경이 펼쳐졌다.

Ra는 상대 팀을 19세의 젊은 조던, 29세의 전성기 조던, 그리고 40세의 노련한 조던으로 바꿔버렸다. 세 명의 조던이 한 팀이라니, 이는 분명히 현실을 넘어선 무언가, 허상이 빚어낸 환영 같았다.

그는 이 허상 속에서 본질을 찾아내야 한다는 사명감에 사로잡혔다. 세 명의 조던이 동시에 선보이는 플레이는 마치 완벽한 교향곡처럼 조화를 이뤘다. 그들은 무결점의 드리블과 슛을 보여주며, 그의 팀을 압박했다.

19세의 조던은 젊음과 패기로 코트를 지배했다. 빠른 스피드와 민첩한 움직임은 누구도 막을 수 없는 듯 보였다. 29세의 조던은 신체적, 기술적으로 절정에 오른 상태였다. 그의 플레이는 완벽했고, 공을 잡을 때마다 관중들은 숨을 죽였다. 40세의 조던은 경험과 지혜의 플레이를 펼쳤다. 눈빛에는 수많은 경기에서 얻은 통찰과 노련함이 담겨 있었다. 그들의 호흡도 완벽하게 맞아떨어졌다. 어린 조던이 공을 잡고 우리 팀의 수비를 빠르게 돌파하면서 드리블을 했다. 영환 팀의 수비수들은 그를 막기 위해 달려들었지만, 날렵한 움직임으로 피하고 코트 중앙을 가로질러가며 청년 조던에게 신호를 보냈다.

청년 조던은 어린 조던의 신호를 알아차리고 순간적으로 빠른 스피드로 골대 쪽으로 달려갔다. 그리고 청년 조던의 위치를 정확히 파악했고, 완벽한 타이밍에 공을 던졌다. 공은 공중으로 날아올랐고, 청년 조던은 높이 점프하여 그 공을 받았다. 그리고 이미 골대 반대편에서 기다리던 중년 조던에게 골대 위를 살짝 넘어 패스했다. 중년 조던은 공을 공중에서 잡아 재빠르게 덩크슛으로 '쾅'하고 꽂아 넣으니, 골대가 태풍에 흔들리는 가로수처럼 흔들렸다.

영환 팀 선수들은 그들의 화려한 엘리웁 플레이에 놀라움을 감추지 못했다. 저 세 사람은 호흡을 맞추며, 완벽한 조화를 이뤄냈고, 그들의 실력과 팀워크는 누구도 따라올 수 없는 수준이었다. 그는 다시 코트를 누비며 이 허상이 만들어내는 현실을 이해하려 했다. 그들은 실제가 아니었고, 분신술로 환영을 만들었다고 생각했다.

그는 속으로 외쳤다. "본질은 허상 뒤에 숨어 있다. 우리가 싸우는 것은 환영이 아니라, 그 뒤에 있는 진실이다."

Ra는 갑자기 경기를 중단시키고 대한민국의 어느 동네 농구 경기장으로 장소를 옮겼다. 경기장은 공이 잘 튕기지 않았으며, 아담하고 소박했지만, 그 속에 흐르는 열정은 NBA 코트 못지않았다. 코트 한쪽에는 낡은 철제 농구 골대가 세워져 있었고, 주변에는 벤치와 낡은 체육기구들이 즐비했다. 경기를 지켜보던 관중들은 대부분 중년의 아저씨들이었다.

경기가 시작되자마자 30대 이상의 아저씨들 사이에서 논쟁이 벌어졌다. "네가 한 스텝 백은 워킹 위반이야!" 한 아저씨가 외쳤다. "아니야, 게더스텝은 허용된다고!" 다른 아저씨가 반박했다. "합스텝은 어쩔 건데? 그건 또 규칙 밖이잖아!" 서로의 주장에 열을 올리며, 그들은 마치 허상 속의 본질을 찾으려는 듯 치열하게 논쟁을 이어갔다. 영환은 그들의 모습을 지켜보며, 자신의 마음속에 일어나는 변화를 느꼈다. 농구 경기를 통해 그가 겪고 있는 시험은 스포츠를 넘어서, 신의 본질을 깨닫도록 하는 것이었다. 경기가 끝난 후, 그는 탈의실로 들어가 샤워를 했다. 따뜻한 물줄기가 그의 긴장을 풀어주었으나, 마음은 냉정하고 차가웠다. 샤워를 마치고 거울 앞에 섰다. 그리고 로션을 바르기 위해 거울 속에 비친 자신의 몸을 바라보며, 문득 깨달음을 얻었다.

"우리는 거울 속 허상을 보며 자신인 줄 착각한다." 영환은 거울을 통해 보이는 허상이 진정한 '나'가 아니지 않을까? 라며 물었다. 반사되어 보이는 모습은 단지 외형적인 겉모습일 뿐, 그 이면에 숨겨진 진정한 본질을 반영하지 않았다. 그는 여태까지 눈에 보이는 겉모습에 속아왔음을 득도했다. 하지만 가장 중요한 것은 이런 허상이 없다면 '나'라는 본질도 존재할 수 없다는 것이었다.

영환은 Ra가 만든 상황과 거울을 통해 허상은 오로지 착각이나 환영이 아니라, 그 뒤에 숨겨진 진실을 찾기 위한 도구였다는 사실을 알게 되었다. 탈의실을 나서면서, 머리에 가득 바른 샴푸 냄새가 진동했다. 그 향긋한 냄새는 정신을 맑게 해주었고, 이면에 숨겨진 본질까지 더욱 선명하게 만들었다. 그는 거울 속 허상을 통해 진정한 '나'라는 정체성과 자존감을 넘어서는 자아실현이 비로소 발현될 수 있음을 깨달았다. 소름이 끼치자, 샴푸 냄새는 영혼 깊숙한 곳까지 흩어 퍼졌다.

관전자인 아담이 입을 열었다. "영환이는 불알이 없는 고자인데, 성 정체성을 잃어버린 선구자가 자아실현을 했다는 것도 역설 속의 진리인가?" 아담은 이 상황에서도 장난을 멈추지 않았다. 이브는 그 말에 반박하며 말했다. "불알도 본질 속의 허상일 수 있어. 자아 실현을 위한 단계일 수도 있지." 그러나 아담은 다시 말했다. "그래도 나는 이 두 알이 꼭 필요해. 나의 정체성을 깨부수지 말라고!" 그의 목소리는 두 알의 자부심으로 똘똘 뭉쳤다.

영환은 "허상과 본질이라는 이중관계로, 나 자신을 더욱 깊이 이해할 수 있었다."라고 외치자, Ra는 그를 고대석 근처로 불러들였다. 아직도 걸음을 옮길 때마다, 그의 코끝에는 샴푸의 향긋한 냄새가 맴돌았다.

# 3

## 냄새

미로의 한가운데, 희미한 빛이 스며드는 공간에 서서, 신비로운 향기가 퍼졌다. 그 향기는 단순한 냄새를 넘어, 이 세상과 저 세상의 경계를 넘나드는 듯한 느낌을 주었다. 이 냄새는 단순한 감각적 경험을 초월하여, 깊은 사색으로 이끌며, 신의 이중성에 대한 깨달음을 불러일으켰다.

"인간은 자신을 초월해야 한다" 이 말은 인간이 선과 악, 창조와 파괴의 이중성을 동시에 인식하고 받아들여야 함을 의미한다. 그것은 선과 악의 구분을 넘어, 그 둘의 공존 속에서 진정한 의미를 찾아야 한다는 것을 암시하고 있었다. 향기는 때로는 달콤하고, 때로는 쓰디쓴 냄새로 변하며, 인간의 다양한 감정을 자극했다. 이것은 마치 인간의 삶이 그러하듯, 선과 악이 서로 얽히고설킨 복잡한 구조를 반영하고 있었다.

"빛이 있기에 어둠이 존재하고, 어둠이 있기에 빛이 존재한다" 이 말은 창조와 파괴가 서로를 필요로 하는 불가분의 존재임을 시사한다. 그 향기는 고통 속에서 성장하고, 슬픔 속에서 기쁨을 찾으며, 절망 속에서 희망을 발견하는 인간의 삶의 아이러니를 보여주고 있었다. 그렇다면, 이 향기는 단순히 감각적 경험 이상의 의미를 지니고 있었다. 그것은 인간 존재의 본질을 깨닫게 하는 상징이었다.

"인간은 자신이 인식하는 것 이상의 것을 결코 알 수 없다" 향기는 이러한 한계를 초월하여, 인간이 인식할 수 없는 신의 이중성을 드러내는 매개체였다. 그것은 인간의 이성과 감정을 동시에 자극했다.

향기는 이러한 이중성을 명확하게 드러내는 상징이었다. 선과 악, 창조와 파괴, 사랑과 증오, 공허와 충만함, 허상과 본질, 무의식과 흐름은 모두 함께 존재하며, 그 자체로 인간의 삶을 이루고 있다. 인간의 단순한 이분법적 사고를 넘어서, 전체적인 시각으로 세상을 바라보아야 한다는 것을 의미했다.

결국, 이 향기는 신의 존재의 본질을 깨닫게 하는 중요한 상징이었다. 인간의 영혼 깊숙이 스며들어, 진정한 변화를 불러일으키는 경험이었다. 단순히 도덕적 규범을 따르는 것이 아니라, 내면 깊숙이 자리한 본질적 진리를 추구해야 한다는 것을 의미했다.

냄새는 단순한 감각을 넘어 신의 존재와 본질을 드러내는 중요한 매개체였다. 신의 관점에서, 냄새는 우주와 생명의 깊은 연결성을 상징하며, 존재의 근원을 탐구하는 길을 열어준다. 신은 모든 것을 창조하고 유지하는 궁극적인 존재로, 그분의 의지는 냄새를 통해 인간에게 전달된다.

신의 관점에서, 선과 악, 도덕과 법, 규칙과 힘의 논리는 일시적인 인간의 창조물에 불과하다. 신은 이러한 제한된 관념을 넘어 존재하며, 인간이 만든 모든 기준을 초월한다. 냄새는 이러한 초월적인 존재를 인간이 감지할 수 있도록 하는 신의 도구이다. 신은 이러한 이중성을 이용해 세상의 균형을 유지하며, 인간은 그 냄새를 맡고 신을 믿는다.

"의지는 모든 것의 근원"이라는 개념은 신의 의지를 반영하며, 냄새는 그 의지의 표현 중 하나로, 신의 본질을 깨닫게 한다.

냄새는 신의 의지의 표상으로, 인간이 느끼는 모든 것은 신의 계획 속에서 일어난다. 신의 관점에서, 냄새는 인간의 감각을 넘어 존재의 본질을 드러내는 중요한 도구이다. 그것은 인간이 신의 의지를 이해하고, 그 의지를 따르도록 인도한다.

결국, 신의 냄새는 인간이 만든 모든 기준과 규범을 초월하는 본질적인 진리를 상징한다. 그것은 인간이 신의 의지를 이해하고 받아들이며, 자신의 한계를 넘어 더 높은 차원의 진리를 탐구하게 하는 매개체였다.

라감의 영혼들은 미로에서 신의 냄새를 맡으며, 각자 자신의 자아 정체성과 신의 본질을 깨닫고 중앙에 모였다.

영환이 먼저 입을 열었다. "거울 속의 나를 바라보며 샴푸 냄새를 맡았어. 그 냄새는 나 자신을 깨끗이 정화했고 비로소 새로운 자아를 실현할 수 있었어."

아담이 미소를 지으며 말했다. "난 밤꽃 냄새를 맡았어. 그 향기는 나의 성욕을 자극하면서도, 본질을 깨우쳐주었지. 내가 추구하는 것들이 하위적 본능이 아니라 나의 일부임을 깨달았어."

이브가 고개를 끄덕이며 덧붙였다. "나는 아담과의 사랑을 나눌 때 느낀 소중하고 아름다운 냄새를 맡았어. 그 향기는 나의 애정과 소속의 욕구를 상기시켜주었지. 나는 아담에 대한 사랑을 통해 나의 본질을 더 깊이 이해하게 되었어."

할머니가 지혜롭게 말했다. "내게는 책이 불타며 재가 될 때의 탄 냄새가 났어. 그 냄새는 나의 인지적 욕구를 자극하며, 나를 더 지혜롭게 만들었지. 나는 그 냄새로 많은 진리를 깨달았어."

에바가 말을 이었다. "나는 지하철 속 사람들의 짙은 땀 냄새를 맡았어. 그 향기는 혼돈 속에서 질서를 짓고 조화를 할 수 있다는 점을 알려줬지. 그 냄새로 중도의 새로운 면모를 깨달았어."

라감이 따뜻하게 말했다. "내게는 진한 커피 향이 맴도는 냄새가 났어. 그 냄새는 혼자 있을 때 공허를 일깨워주었지. 그 향기로 공허 속 충만함을 더욱 확고히 할 수 있었어."

에바가 말했다. "우리가 겪은 냄새는 신의 향기만이 아니야. 그것은 우리 각자의 본질을 나타내고 있어."

아담이 웃으며 말했다. "나는 달라. 밤꽃 냄새는 나의 본능을 일깨워주면서도 여자도 찾았어."

그들은 후각의 강렬한 힘을 깨달으며, 신의 본질이 우리의 기억과 본능 깊숙이 새겨져 있음을 느꼈다. 후각은 보이지 않는 존재의 영향력을 느끼게 하며, 가장 원초적인 감각으로 우리의 근본적인 부분과 연결되어 있었다.

냄새는 우리의 깊은 무의식 속에 있으며, 직관적이고 즉각적으로 느껴질 수 있는 존재라는 메시지를 나눴다. 그들은 Ra의 앞에 다시 모였다. Ra는 어느새 건장한 남자의 모습에서 여신으로 바뀌어 온화한 미소를 지으면서 그들을 맞이하고 있었다.

Ra가 천천히 입을 열었다. "각자 경험한 냄새는 본인의 가치관과 삶에서의 중심을 잡으며 나아갈 수 있다. 하지만 그 냄새를 실제로 실행하는 것은 신만이 할 수 있는 일이다."

"왜냐하면, 실행은 단순히 의지와 결심만으로 이루어지지 않기 때문이다. 인간은 목표의식을 가지며 동기부여를 얻지만, 실제로 실행하는 단계에 이르기까지는 여러 가지 장애물이 존재한다."

신은 말을 잠시 멈추고, 천천히 이어갔다. "인간의 뇌는 변화를 두려워하고, 편안한 상태를 유지하려는 경향이 있다. 이는 인간의 깊은 본능으로, 생존을 위해 위험을 피하고 에너지를 절약하려는 습성에서 기인한다. 따라서 새로운 도전이나 변화를 시도하려면 많은 에너지를 소비해야 하고, 뇌에 큰 부담이 된다. 그러므로 아무리 강한 의지와 동기가 있더라도 이를 지속해서 유지하는 것은 매우 어렵다." "또한, 목표를 실행으로 옮기기 위해서는 구체적인 계획과 지속적인 노력이 필요하지만, 인간은 일상 속에서 다양한 유혹과 방해 요소들에 노출되어 있어 집중력을 잃기 쉽다. 이는 인간의 본능과 뇌에는 당연한 일이므로 자신을 스스로 탓할 필요도 없다. "

"그러므로 너희들은 높은 목적의식을 가지고 이를 하위 목표로 잘게 쪼개어 구체화하는 과정이 필요하다. 신이 되기 위한 루틴을 만들고, 환경을 설계해라. 마지막으로 이 과정을 반복하면서 자신의 잠재성과 독창성을 최대한 발휘할 수 있도록 하는 것이다. "

인간은 각자 처지에 따라 다르게 해석하는 것이 중요하고, 본인 상황에 맞는 방법을 찾아내는 것이 실행의 열쇠였다.

영환이 혼란스러운 표정으로 물었다. "그렇다면 우리가 깨달은 것들은 무슨 의미가 있는 건가요? 실행이 어렵다면, 우리는 그저 신의 계획안에서 움직이는 것뿐인가요? "

Ra가 고개를 저으며 답했다. "아니다. 깨달은 것만으로도 충분하다. 냄새를 통해 세상의 본질과 신의 이중성을 알게 됐지. 그것만으로도 충분히 성장했다."

라감이 우스꽝스럽게 웃으며 덧붙였다. "맞아요, 영혼으로서 그 깨달음은 충분해요. 결국, 우리가 이 세상을 살아가는 동안 깨닫고 느낀 것들로 충분한 거죠."

그녀의 말에 에바가 의아한 표정으로 물었다. "하지만 냄새로만 깨달음에 도달한 것이 의미가 있나요? 실행할 수 없는 깨달음이라면…."

라감이 다시 웃으며 말했다. "딸, 그 깨달음이야말로 우리 영혼의 성장을 의미하는 거예요. 신의 이중성과 모호함을 이해하는 것만으로도 우리는 이미 한 걸음 더 나아간 거죠."

아담이 고개를 끄덕이며 말했다. "그래, 우리 모두 각자의 방식으로 깨달음을 얻었어. 그게 우리의 본질을 더 잘 이해하는 데 도움을 줬어."

이브가 생각에 잠긴 듯 말했다. "냄새는 다른 감각들과는 달리, 직관적으로 우리 마음 깊숙이 침투해. 그것은 우리가 세상을 어떻게 받아들이고 이해하는지에 대한 지침을 제공하는 것 같아. 하지만 그보다 중요한 것은, 그 냄새를 통해 우리는 우리의 내면을 더 잘 이해하게 된다는 점이지."

아담이 맞장구쳤다. "맞아. 냄새는 우리가 두려워하고, 사랑하고,

갈망하는 것들을 드러내지. 그것은 우리의 정체성을 형성하는 중요한 요소야."

할머니가 지혜롭게 말했다. "냄새는 가장 원초적인 감각 중 하나로, 기억과 감정을 불러일으켜. 그것은 우리에게 과거를 상기시키고, 미래를 예견하게 하며, 현재를 느끼게 해. 그 냄새들은 우리 존재의 깊은 곳에서부터 올라와, 우리 삶의 방향을 결정짓는 중요한 역할을 해."

라감이 다시 입을 열었다. "우리가 경험한 신의 냄새는 단순한 향기 그 이상이었어. 그것은 우리가 살아가는 세상의 복잡성과 그 이중성을 보여줬지. 그리고 그 속에서 우리는 우리의 중심을 잡고 살아가야 해. 그것이 신의 냄새가 우리에게 주는 가장 특별한 상징이야."

재욱이 말했다. "결국, 신의 냄새는 우리 각자가 세상을 어떻게 받아들이고 살아가야 하는지에 대한 답을 찾게 해주는 것 같아. 그것은 우리의 오감을 넘어, 우리의 영혼 깊숙이 스며드는 무언가를 상징하지."

Ra가 마지막으로 덧붙였다. "인간이 신의 본질을 깨닫기는 너무 모호하지. 하지만, 그 모호함 속에서 너희는 자신을 발견하고, 이해하게 된 것이다."

# 3-1 라감의 영혼

라감은 나직이 물었다. "Ra, 라감의 영혼은 결국 어떤 의미가 담겨 있나요?"

Ra는 누군가 질문할 줄 알았다며, 거만하게 대답했다. "라감은 'Ra: God And More'를 의미해요. 태양계의 항성, 바로 나야 나! 하지만 나도 한때는 여러분처럼 시험을 치렀답니다."

그의 말에 영환은 호기심 가득한 눈빛으로 물었다. "당신도 이 시험을 봤다고요? 결과는 어땠죠?"

라가 씁쓸하게 웃으며 답했다. "이 시험은 가볍게 통과했지만, 고급 코스에서 떨어졌지 뭐야. 그래서 지금 태양계를 관장하는 역할을 맡게 됐어요."

라가 천천히 주변을 둘러보며 6명의 눈을 마주했다. 그들의 궁금증 어린 눈빛을 보며 라는 미소를 지었다.

"여러분, 'Ra: God And More'에 대해 더 설명해 드릴게요," 라가 천천히 말을 이었다. "제 이름은 태양신 Ra:God을 뜻하지만, And More 즉, 그 너머로 무엇을 의미하죠"

라감이 고개를 갸우뚱하며 물었다. "그 너머라면 무슨 뜻이죠?"

라가 웃음을 띠며 답했다. "태양계를 넘어 은하계나 우주의 다른 영역으로 나아가고 싶은 제 욕구를 담고 있죠. 그러니까 승진의 욕구를 담아냈다고 말할 수 있지 않을까요?"

주인공들은 라의 말에 모두 웃음을 터뜨렸다. 그중 아담이 웃음을 참지 못하며 말했다. "그러니까, 태양신도 더 높은 위치로 올라가고 싶은 거군요."

라가 장난스러운 표정으로 고개를 끄덕였다. "맞아요. 누구나 그렇지 않겠어요? 현재 맡은 역할도 소중하지만, 더 큰 도전을 향해 나아가고 싶은 욕구는 누구에게나 있죠. 저도 예외는 아닙니다."

이브가 흥미롭게 물었다. "그렇다면, 지금의 역할이 충분히 만족스럽지 않다는 뜻인가요?"

라가 잠시 생각에 잠긴 듯한 표정을 지었다가 고개를 저었다. "아니요, 지금의 역할도 충분히 만족스럽고 중요해요. 하지만 더 큰 목표와 도전이 있다는 것은 저를 더 열심히 일하게 하고, 더 나은 존재로 성장하게 해주죠."

에바가 고개를 끄덕이며 말했다. "그렇군요. 당신도 우리처럼 끊임없이 성장하고 싶은 욕구가 있군요."

라가 웃으며 대답했다. "맞아요. 저도 끊임없이 배우고, 성장하고 싶어요. 여러분이 이 시험을 통해 많은 것을 깨달은 것처럼, 저도 저의 위치에서 많은 것을 배웠답니다."

영환은 조금은 이해한 듯 고개를 끄덕이며 말했다. "그렇다면, 우리는 신의 그런 점을 본받아야겠네요."

라가 마지막으로 덧붙였다. "맞아요. 우리가 어디에 있든, 어떤 역할을 맡고 있든, 항상 더 나은 존재가 되기 위해 노력하는 것이 중요하죠. 그게 바로 모두가 가진 본질적인 욕구이니까요."

라의 말을 들은 영혼들은 그가 태양계를 넘어 더 큰 목표를 향해 나아가고자 하는 의지를 이해하게 되었다. 그리고 그의 고백에 동정 어린 눈빛이 오갔다.

하지만 아담은 고개를 갸우뚱하며 말했다. "그러니까, 고급 코스에서 떨어져서 태양계를 맡은 거라면, 태양신도 우리와 같은 수준인건가요?"

라가 고개를 끄덕이며 말했다. "맞아요. 하지만 그것도 나쁘지 않아요. 여러분이 이 시험을 통해 얻은 깨달음처럼, 나도 태양신으로서 많이 배웠어요."

에바가 조심스럽게 물었다. "그럼, 태양계를 관장하는 것은 어떤 의미가 있는 거죠?"

라가 답했다. "그건 여러분과 같은 영혼들을 인도하는 일이에요. 여러분이 겪은 이 모든 시련으로 더 많은 존재가 신의 본질을 깨닫게 돕는 것이죠. 그리고 제 우화만 봐도 모르겠나요?"

에바는 고개를 끄덕였다. "네, 그 이야기요. 태양과 바람이 나그네의 외투를 벗기기 위해 경쟁하는 이야기요."

라가 크게 웃으며 말했다. "맞아요. 지구인들이 참 재밌는 이야기를 만들었죠."

"옛날 옛적에, 지구에는 나그네가 하나 있었습니다. 그는 산을 넘고 들판을 지나며 긴 여행을 하고 있었죠. 그런데 어느 날, 태양과 바람이 그를 보고 누가 더 강한지 내기하기로 했어요."

"감히 바람이 먼저 태양신을 앞장서서 나섰어요. 바람은 입을 크게 벌리고 '후우우우' 하고 불었지만, 나그네는 외투를 꼭 쥐고 바람을 피하려고 했어요. 바람은 더 세게 불었고, 나그네는 외투를 더 단단히 껴입었죠. 바람은 점점 더 화가 나서 폭풍을 불어넣었지만, 나그네는 끝내 외투를 벗지 않았습니다."

라가 이 부분에서 과장되게 손을 휘저으며 바람의 '후우우우' 소리를 흉내 냈다. 에바는 웃음을 터뜨렸고, 라감은 미소를 지었다.

"이제 내 차례다!" 라가 힘차게 말했다. "나는 태양신, 라야! 천천히 하늘로 올라가 빛을 비추기 시작했죠. 햇살이 나그네를 감싸자, 나그네는 점점 더워지기 시작했어요. 나그네는 결국 외투를 벗어던졌고, 나는 승리했죠!"

라가 자랑스럽게 가슴을 폈다.

"하지만 그게 다가 아니야. 나그네는 외투를 벗자마자 갑자기 춥다고 느꼈어. 그래서 그는 다시 외투를 입으려고 하는 순간, 바람이 갑자기 나타나 외투를 휙 낚아챘어! 나그네는 얼어붙은 채로 '어떡하지! 어떡하지' 하며 발을 동동 굴렀지."

"결론은 그가 외투를 도둑맞았다는 거야. 그리고 집으로 돌아가야 했어."

"이게 바로 지구인들이 몰랐던 이야기야. 너넨 하나만 알고 항상 둘은 모르더라. 신이 되려면 항상 변수를 염두에 두고 여러모로 생각해야 해. 모든 만물은 이중성 속에 균형과 조화를 이루고 있다는 사실!"

라의 말을 들은 이브가 고개를 끄덕이며 말했다. "우화 이야기는 차라리 하지 않았더라면, 신의 역할이 얼마나 더 중요한지 알았을 것 같아요."

아담은 태양신의 시답지 않은 소리를 듣자, 양팔을 위아래로 흔들면서 암내를 풍기며 말했다. "엉뚱하시긴 하지만, 그래도 태양계를 관장하는 역할이 쉽지는 않겠어요."

라가 마지막으로 덧붙였다. "신의 냄새로 본질을 깨닫게 하는 것만으로도 충분히 가치 있는 일입니다."

그들은 신의 본질과 모호함을 더욱 깊이 이해했다. 라가 우아한 여신의 모습을 벗어던지고, 강인하고 건장한 남성의 모습으로 변했다. 그의 목소리는 거칠었고 명령조로 변하며, 시험을 치른 이들에게 단호하게 말했다. "자, 이제 드디어 시험의 결과를 발표할 시간이다!" 그의 목소리는 동굴 속에 울려 퍼졌다. "합격과 불합격을 알릴 거다. 준비됐나?"

모두 긴장된 표정으로 라를 바라보았다. "신의 냄새로 세상을 깨닫기도 어렵지만, 실행의 영역은 더 어렵다. 너희는 시작일 뿐이다."

신은 고개를 돌려 네 명의 여자를 바라보았다. "수, 금, 지, 화, 4가지 행성을 관장하는 신으로 임명하겠다." 그리고 한 명씩 지목하며 다시 말했다. "이브, 에바, 라감, 할매. 너희 네 명이 각각 수성, 금성, 지구, 화성을 맡게 될 것이다."

이브는 먼저 자신의 이름이 불리자 눈이 반짝이며 기뻐했다. 그녀는 아담을 돌아보며 환하게 미소 지었다. "드디어, 우리가 함께 이뤄낼 수 있는 무언가를 시작했어!" 목소리에는 설렘과 기대가 가득했다.

다음으로 에바의 이름이 호명되자, 눈을 크게 뜨며 손을 입에 가져갔다. "믿을 수 없어!" 그녀는 감격에 찬 목소리로 말했다. "이 순간을 위해 모든 시험을 견뎌온 보람이 있구나." 얼굴에는 환희와 자부심으로 넘쳤다.

라감은 잠시 멍한 표정을 짓다가 천천히 웃음을 터뜨렸다. "이렇게 큰 역할을 맡게 될 줄이야…" 그녀는 차분하게 말을 이어갔다. "책과 커피의 향기가 나를 이끌어준 덕분이지." 라감은 기쁨을 억누르며 마음속 깊은 곳에서부터 차오르는 따뜻함을 느꼈다.

할머니는 두 눈을 감고. "이 나이에 이런 영광을 얻다니, 신의 섭리는 참으로 오묘하구나." 그녀는 주변을 둘러보며 자신의 손녀와 후손들을 생각했다. "내가 그들의 앞길을 열어줄 수 있다니, 더할 나위 없이 행복하구나."

이브가 장난을 치며 물었다. "임용 날짜는 언제인가요?"

라가 거칠게 웃으며 대답했다. "그건 상부에 보고하고 결정하겠다. 너희는 일단 준비나 해둬라." 이어, 남은 세 명의 남자를 바라보며 말했다. "그리고 남자들, 영환, 아담, 재욱. 너희들도 어떻게 할지 상부에 보고하고 결정하겠다. 너희도 합격이다. 그동안 더 수련하고 기다려라."

아담은 자신의 이름이 불리자 기쁨을 감추지 못하고 환호성을 질렀다. "드디어! 나도 합격했어!" 그는 주변을 둘러보며 웃음을 터뜨렸다. "이제 나도 인정받은 거야!"

재욱은 인공지능 로봇과 전투 중에 자신의 이름이 불리자 잠시 멍한 표정을 지었다. 그리고 중얼거렸다. "나는 언제 죽는 거지?"

영환은 침착하게 고개를 끄덕이며 "알겠습니다."라고 말했다. "더 수련하고 기다리겠습니다."

아담은 곧 불안한 표정으로 물었다. "우리는 차후 어떤 역할을 맡게 될까요?"

라가 단호하게 대답했다. "그건 너희가 앞으로 얼마나 더 성장하고, 어떤 역량을 보여주느냐에 달려 있다."

마지막으로 Ra는 선포했다. "너희 모두, 각자의 자리에서 최선을 다해 수련해라. 신의 냄새를 깨닫고, 실행의 영역에서 진정한 힘을 발휘할 수 있도록!"

이브가 먼저 입을 열었다. "그런데, 왜 우리가 수성, 금성, 지구, 화성을 맡아야 하나요?" Ra는 대답했다. "태양계를 관리하는 일은 영 귀찮아!"

에바가 당황스러운 얼굴로 물었다. "아까는 태양신의 역할이 만족스럽다고 하지 않았나요?"

Ra가 거침없이 웃음을 터뜨렸다. "하! 그랬었지. 그래도 정말 귀찮아. 이제 너희가 그 역할을 맡아야겠다."

라감이 놀란 표정으로 물었다. "그렇다면 태양신은 이제 무엇을 하실 건가요?"

라가 무심하게 어깨를 으쓱하며 대답했다. "난 더 높은 곳을 바라보고 있지. 은하계 이상의 승진 욕구가 있거든. 이젠 너희가 내 역할을 좀 덜어줘야겠다."

할머니는 깊은 한숨을 내쉬며 말했다. "역시 신의 마음은 알 수가 없군."

아담은 고개를 갸우뚱하며 물었다. "그래도, 이런 식으로 갑자기 역할을 떠넘기는 건 좀 그렇지 않나요?"

Ra가 단호하게 말했다. "이건 떠넘기는 게 아니라, 너희에게 더 큰 기회를 주는 거다. 더 많은 것을 배울 수 있을 거야."

재욱이 로봇에 총을 쏘며 조각상을 보며 말했다. "그래도 신의 마음은 참 알 수가 없네요. 이렇게 돌변하다니."

에바가 고개를 끄덕이며 덧붙였다. "맞아요. 신도 결국에는 자신의 필요와 욕구를 따르는 존재인 것 같아요."

라감은 깊은 생각에 잠긴 표정으로 말했다. "우리가 신의 마음을 이해하려고 애쓰는 것 자체가 어쩌면 의미가 없는 일일지도 몰라요. 신도 우리처럼 변덕스럽고, 때로는 예측할 수 없는 존재일 테니까요."

할머니가 잔잔히 웃으며 말했다. "그렇다면 우리가 할 일은 단순히 신의 명령을 따르는 것뿐이겠죠. 신의 뜻을 이해하려 하기보다는, 그저 우리가 맡은 역할을 최선을 다해 수행하는 것."

이브가 말했다. "맞아요. 우리는 우리 역할에 충실하면 돼요. 신의 마음을 이해하려 하기보다는, 그저 맡은 바를 최선을 다해 수행합시다."

남자 둘, 영환, 아담이 동시에 손을 들어 물었다. "혹시 모두 불합격했으면 어떻게 하려고 했나요?"

Ra는 강렬한 눈빛으로 모두를 바라보며 말했다. "그랬다면? 그럴 일은 없다고 생각했지. 너희 따위가 신을 이해할 수 있겠니? 그리고 라감의 영혼을 뺑뺑이 돌려서 넉넉하게 인원을 뽑았다. 다 떨어지겠냐 설마."

영환은 의아한 표정으로 물었다. "그렇다면 왜 수성, 금성, 지구, 화성만 관리하나요?"

Ra가 냉소적으로 웃으며 대답했다. "목성, 토성, 천왕성, 해왕성은 지구형 행성이 아니니까 굳이 관리할 것도 없어. 그냥 존재하는 것만으로도 충분한 행성들이야. 너희가 굳이 신경 쓸 필요 없다."

아담이 고개를 갸우뚱하며 말했다. "그렇다면 지구형 행성들은 왜 중요한가요?"

라가 말했다. "수성, 금성, 지구, 화성은 생명과 발전 가능성이 있는 행성들이야. 그래서 이 행성들을 관리하는 것은 매우 귀찮거든!"

재욱이 로봇을 피해, 불만스러운 표정으로 조각상의 눈을 보고 말했다. "그래도, 그건 너무 일방적이지 않나요? 자세히 말해주세요."

라가 거칠게 웃으며 말했다. "신의 결정에 설명을 바라지 마라."

할머니가 얌전히 고개를 끄덕이며 말했다. "역시 신의 마음은 또 다시 알 수가 없군요.

4명의 여자가 동시에 물었다. "그럼 불합격자는 어떻게 하려고 했어요?"

Ra가 입꼬리를 올리며 대답했다. "행성 총량의 법칙에 따라 환생시키는 거지. 그건 뭐 우연에 맡기는 거니까."

이브가 고개를 갸우뚱하며 물었다. "환생이요? 어떻게 환생시킨다는 건가요?"

Ra가 손을 휘저으며 차원문을 열었다. 그 너머로 현세가 보였다. "저기, 저기 보이지? 아인슈타인은 아마도 저~어~기 누군가의 방에 붙은 세계지도로 변했을걸. 참 재밌지?" 웃음을 터뜨리며 계속 말했다. "각 행성은 유지할 수 있는 생명체의 총량이 정해져 있지. 지구랑 금성은 특히 귀찮아. 금성에서는 미생물로 변장하고 숨어다니는 생명체들까지 있거든. 아무래도 너희가 많아지면 다른 걸 줄여야 하는데, 그게 얼마나 귀찮은지 알아?"

한숨을 쉬며 덧붙였다. "화성은 멸망해서 오히려 좋다고. 기체로만 꽉꽉 채우면, 나머지는 유지할 게 없으니까 말이야. 아무튼, 상부에 너희들 관리하는 체계를 자동화 시스템으로 해달라고 요청했는데

씨알도 안 먹혔어. 정말 짜증 나는 일이야."

할머니가 웃음을 참지 못하고 말했다. "역시 신의 마음을 전혀 알 수 없군요."

아담이 말끝을 받아 장난스럽게 말했다. "그래도 너무 솔직하신 거 아닌가요? 하하."

Ra가 어깨를 으쓱하며 대답했다. "솔직해야지. 이게 신의 마음이니까. 내가 불합격자들 어떻게 할지 생각도 하고, 지구형 행성 관리도 해야 하고, 정말 가끔은 너희를 다 파괴하고 싶어. 근데 그러면 또 다른 거로 채우라고 상부에서 난리를 치니까 또 창조해야 하고, 그것도 귀찮고, 다 귀찮아"

아담이 미소를 지으며 말했다. "그렇다면 우리도 최선을 다해야겠네요. 안 그러면 무엇으로 환생 될지 모르는 거니까."

Ra가 입가에 미소를 머금고 모두를 바라보았다. 그의 눈에는 알 수 없는 신비로움이 깃들어 있었다. "모든 건 운명이 있다. 너희는 그 운명을 우연으로 받아들일 수밖에 없지. 신에게는 운명이지만 너희는 그저 우연일 뿐이야."

그 말은 절대적인 진리처럼 무겁게 내려앉았다. 각자의 마음속에 다양한 생각들이 스쳐 지나갔다. 운명이란 신의 손에 달렸고, 자신들은 그저 그 손길에 의해 결정되는 작은 존재들에 불과하다는 것을 깨닫는 순간이었다. 그리고 신의 솔직한 모습을 보며, 그들은 신이 이왕 기분이 좋을 때, 세상의 궁금한 점을 더 묻고 싶었다.

이브가 조용히 물었다. "우리는 그저 우연이라니…. 정말 그런 건가요?"

Ra가 고개를 끄덕이며 말했다. "그래, 모든 일은 신의 계획 속에서 움직여. 너희가 느끼는 모든 우연은 사실 신의 의지에 따른 운명이지. 하지만 그 운명을 어떻게 받아들이고, 그 안에서 무엇을 깨달을지는 너희에게 달렸다."

라감은 신의 말에 고개를 숙이며, 그동안 겪었던 모든 시련과 고난이 떠올랐다. 그리고 천천히 고개를 들고 말했다. "그렇다면, 우리의 삶은 그저 우연으로 이루어진 운명이라도, 그 안에서 최선을 다하는 것이 우리의 역할이겠지요."

Ra가 고개를 끄덕이며 미소 지었다. "그렇다, 라감. 너희가 겪는 모든 일은 신의 계획안에 있지만, 그것을 어떻게 받아들이고 어떤 의미를 찾느냐는 전적으로 너희에게 달렸다."

아담은 씩 웃으며 말했다. "그럼, 우린 신의 손길 속에서 춤추는 운명의 피조물이군요. 우연 속의 운명이라니, 꽤 멋지지 않아요?"

각자 깨달음을 얻은 듯한 표정을 짓고 있는 것을 보고 할머니는 혼자 속으로 되뇌었다.

'Ra가 기분이 좋을 때 시험을 봐서 우리가 통과한 것 같군.' '아마 신의 이중성이 아니었다면, 여기 있는 일곱 명 중 몇 명은 분명히 떨어졌을 거야. 아니 몇 명이 뭐야 전부 떨어졌을 거야'

'시간은 흐르지 않지만, 그 순간은 여전히 중요해. 좋은 타이밍을 만난 것도 우리에게는 우연일지 모르지만, 다르게 생각하면 신이 운명을 부여한 것일 수도 있겠군.' 할머니는 주위의 다른 영혼들을 돌아보며, 약간의 안도감과 감사함을 읽었다. '우리의 운명이 그저 우연의 연속이라면, 이렇게 하나로 모여 깨달음을 얻는 순간도 신의 장난일까?' 그녀는 주절주절 마음속으로 독백을 이어갔다. '이 모든 것이 신의 시험이라면, 우리가 어떤 순간에, 어떤 상황에서 그 시험을 받게 되는지도 결국 신의 손길이 닿은 결과일지도 모르지.'

'어쩌면 신은 우리에게 우연보다 더 중요한 무언가를 가르쳐주고 있는지도 몰라.'

'결국, 신의 마음을 전혀 알 수 없다는 것이야말로 우리가 깨달아야 할 가장 중요한 진리야,'

그녀의 냄새를 맡은 Ra는 그저 평온히 웃었다.

# 3-2 영혼의 각성


Ra:Gam 영혼은 복수를 넘어선 상징적 존재였다. 그것은 고통 속에서 깨달음을 얻는 영혼이었으며. 신의 존재와 세상의 비밀을 풀기 위해 선물 된 마지막 열쇠였다. 시험을 마친 후, 그들의 영혼은 긴 여정의 끝에 서서 비로소 자신의 진정한 본질과 마주하게 되었다. 고요한 우주 공간 속에서, 자신을 둘러싼 모든 것을 바라보았다.

태양의 빛이 그들을 감쌌다. 눈부신 광채 속에서 그리고 신의 계획 속에서 그들은 점점 더 자신의 본질에 가까워졌다. 영혼들은 빛으로 충만해졌다. 태양의 열기와 빛이 감싸 안으며, 신의 존재와 하나가 되는 느낌을 받았다. 그들은 단순한 복수가 아니라, 신의 마지막 열쇠, 세상의 비밀을 풀기 위한 중요한 역할을 지녔다. Ra:Gam 영혼은 공명했다. 우주의 에너지와 하나가 되어, 점점 더 강해지고, 빛났다. 신의 마지막 자물쇠를 풀면서, 비로소 그들은 삶의 목적을 깨달았다.

라감의 영혼은 각성했다. 그들은 이제 신의 계획을 이해하는 것뿐만 아니라, 그 계획을 실행할 단계가 되었다. 태양의 광채 속에서 새로운 힘과 결의를 얻었다. 신의 역할을 맡아 행성을 관장할 준비가 된 영혼들은 새로운 사명을 받아들였다. 그들은 눈을 뜨고 미소 지었다. 마음속에 있던 모든 혼란과 의문은 사라지고, 대신 의지와 새로운 목적이 생겨났다.

그들은 태양의 빛 속에서 한 걸음 앞으로 나아갔다. 태양이 비추는 신비한 홀에서, 라감, 에바, 이브, 그리고 할머니는 Ra 앞에 서서 행성을 관장하는 신의 임명장을 받기 위해 얼굴에 땀을 흘리며 기다렸다.

Ra는 거대한 빛으로 등장했다. 찬란한 태양의 광채처럼 눈부셨다. "라감, 에바, 이브, 할매, 너희는 이제 나의 딸들로 받아들여지며, 수성, 금성, 지구, 화성을 관장하는 신으로 임명한다." Ra는 엄숙하게 선언했다.
신은 4명에게 본인의 이름이 적힌 임명장을 건네주는 순간, 홀은 화려한 축하 파티장으로 변했다. 천장에는 무지갯빛 샹들리에가 반짝였고, 바닥은 황금빛으로 빛났다. 모든 것이 꿈처럼 아름다웠다. 클래식 음악이 울려 퍼지고, 공기는 달콤한 향기가 스며들었다. 딸들은 서로를 축하하며 웃고, 기쁨을 나누었다. 그러나 갑자기 Ra는 손을 한 번 휘둘렀다. 모든 것이 순식간에 지옥으로 변했다. 아름다웠던 홀은 어둡고 음산한 공간으로 바뀌었다. 벽에는 불길이 타오르고, 땅에는 핏빛 웅덩이가 나타났다. 딸들은 공포에 휩싸여 서로를 껴안았다. Ra의 모습은 흉측한 악마처럼 변해 있었다. 그의 눈에서는 붉은빛이 흘렀고, 섬뜩한 목소리로 말했다, "너희가 이 책임을 다하지 못하면, 이렇게 될 것이다."

Ra는 또다시 손을 휘둘러 모든 것을 바꿨다. 다시 축하 파티장이 되돌아왔다. 이번에는 더욱 화려하고 찬란하게 변했다. 하늘에서는 불꽃놀이가 터지고, 새들의 노래가 울려 퍼졌다. Ra의 모습은 이번에는 아름답고 신성한 존재로 변했다. "그러나 너희가 이 책임을 다한다면, 이와 같은 영광을 누리게 될 것이다."라고 Ra는 부드럽게 말했다.

Ra의 모습은 계속 변했다. 그는 인간의 상상력을 초월하는 형상으로 바뀌었다. 때로는 거대한 용의 형상으로, 때로는 아름다운 천사의 모습으로, 또다시 무한한 빛의 구체로 변신했다. 그의 형상 변화는 경이로움과 두려움을 동시에 불러일으켰다. 딸들은 Ra의 이중적이고 변화무쌍한 모습을 보며 경외감을 느꼈다.

Ra의 모습은 이제 또 다른 형태로 변했다. 이번에는 놀랍게도 화려한 클럽 DJ가 되었다. 그는 번쩍이는 은빛 재킷을 입고, 한 손에는 헤드폰을 쓰고 있었다.

DJ 부스에서 Ra가 미소를 지으며 손을 들어 올리자, 화려한 클럽 음악이 울려 퍼졌다. 베이스가 강하게 울리는 비트에 맞춰 신나는 음악이 공간을 가득 채웠다. Ra는 곧바로 턴테이블을 돌리며 리듬에 맞춰 몸을 흔들기 시작했다.

"여러분, 이곳이 바로 천상의 태양 클럽입니다!" Ra가 외쳤다. 신의 목소리는 마이크를 통해 더욱 강렬하게 울려 퍼졌다.

라감, 에바, 이브, 그리고 할머니는 처음엔 당황했지만, 이내 리듬에 몸을 맡겼다. 그들은 서로 손을 잡고 신나게 춤을 추기 시작했다. Ra는 그들의 모습을 보며 더욱 신나는 곡을 선곡했다.
"이제 여러분도 신이니까, 마음껏 즐기세요!" Ra가 외쳤다. 그는 곡을 믹싱하며 더욱 열정적으로 턴테이블을 조작했다.

이브는 라감의 손을 잡고 회전하며 웃었다. "이건 정말 놀라워요, Ra!" 에바는 주위를 둘러보며 말했다. "우리가 신이 되어서도 이렇게 즐길 수 있다니, 정말 멋지네요!" 할머니는 신나게 춤을 추면서도 뭔가를 깨달은 듯 말했다. "이것이 바로 신의 이중성인가 봐요. 엄숙함과 즐거움을 동시에 가질 수 있는 존재라니."

Ra는 조명을 조작하며 말했다. "맞아요! 신의 역할은 단순히 엄숙함만이 아니라, 때로는 즐거움도 필요하답니다. 자, 이제 다들 더 신나게 춤추자고요!"

그들의 웃음소리와 음악이 어우러지며, 천상의 클럽은 더욱 활기차게 변했다. 불꽃놀이와 함께 터지는 불빛들이 그들의 춤을 더욱 빛나게 만들었다. Ra는 음악의 흐름에 따라 몸을 흔들며, 모든 이들에게 즐거움을 선사했다. 그들은 그 순간, 자신들이 신이라는 사실을 잊고 단순히 인간처럼, 또는 그 이상의 존재로서 춤추고 노래하며 그 순간을 만끽했다. Ra의 이중적 모습은 그들에게 신의 복잡하고 다면적인 본질을 더욱 깊이 깨닫게 했다.

Ra는 다시 원래의 빛나는 신의 모습으로 돌아와 말했다. 그리고 딸들을 향해 손을 내밀었고, 그들은 차례로 Ra의 손을 잡으며 축복과 함께 신의 냄새를 맡았다.

"우리가 사는 이 세상은 모순과 이중성으로 흘러넘칩니다. 빛과 어둠, 선과 악, 사랑과 증오, 이러한 대립적인 요소들이 얽혀 우리의 현실을 형성하고 있죠."라는 주위를 둘러보며 말했다. "우리는 이 모든 것을 이해하려고 노력하지만, 인간은 결국 본인 중심으로 세상을 바라볼 뿐입니다."

라의 시선이 한곳에 멈췄다. "그러나, 이러한 인간 중심적 시각은 우리가 넘어서야 할 한계이기도 합니다. 우주는 무한하며, 그 한계 너머에는 태양신 나조차도 뛰어넘는 위대함이 존재합니다."

영혼들은 주변 공기의 변화를 느꼈다. 보이지 않는 공기는 그들을 감싸며 다양한 냄새를 실어 나르기 시작했다. Ra는 냄새의 상징성에 관해 이야기를 이어갔다.

"냄새는 보이지 않지만, 우리는 그것을 통해 많은 것을 느끼고 이해합니다. 그것은 우리가 눈으로 볼 수 없지만, 가장 원초적인 감각입니다. 각자의 후각은 각기 다른 경험과 기억을 불러일으키며, 그것을 통해 우리는 우리의 정체성을 확인하고, 더 나아가 신의 본질을 깨달을 수 있습니다."

"인간의 후각은 비록 한계가 있지만, 그것은 우리가 세상의 모순과 이중성을 이해하는 데 중요한 역할을 합니다. 이 향기는 우리에게 보이지 않는 진실을 느끼게 하고, 근본을 깨닫게 해줍니다."

Ra 말은 더욱 깊어졌다. "우리의 삶은 결국 보이지 않는 것들로 넘쳐납니다. 공기처럼, 냄새처럼, 그 모든 것이 우리가 존재하는 이유와 본질을 설명해줍니다. 그것은 어떤 위대한 존재의 흔적일지도 모릅니다."

신의 말이 끝나자, 파티장은 다시 한번 변했다. 이번에는 딸들이 자신만의 색깔로 꾸민 공간이 나타났다. 각자 수성, 금성, 지구, 화성을 상징하는 아름다운 장식들이 빛났다.

축하 파티가 끝나고, 할머니가 먼저 입을 열었다. "그런데 각 행성을 누가 관장할 건지 정해야 하지 않겠니?"

Ra는 환하게 웃으며 대답했다. "그것도 우연에 맡겨보는 게 어떻겠니? 우연이라는 것이 때로는 가장 신비롭고 정확한 선택인 법이지."

에바가 의아한 표정으로 물었다. "우리에게는 우연일지 몰라도, 태양신인 Ra는 이미 우리의 운명을 정해놓은 것 아닌가요?"

Ra는 고개를 끄덕이며, 조금은 장난기 어린 미소를 지었다. "이제는 너희들도 나의 사랑스러운 딸들이며, 신이다. 내가 모든 것을 정해놓지는 않았단다. 운명을 정하는 것은 신의 특권이기도 하지만, 신의 역할을 맡은 너희도 이제는 그런 권한을 누릴 수 있어야 하지 않겠니?" 그리고 한 걸음 물러서며 말했다. "가위바위보로 정해보는 게 어때?"

라감은 웃으며 말했다. "좋아요, Ra. 가위바위보로 정하는 것도 나쁘지 않겠네요."

에바, 이브, 그리고 할머니도 서로를 바라보며 손을 앞으로 내밀었다.

Ra는 신비한 미소를 지으며 말했다. "좋아, 시작해보렴. 신들이 선택하는 방식도 때로는 가장 단순한 방법일 때가 많단다." 그리하여, 딸들은 각자의 손을 높이 들고 가위바위보를 외쳤다. 순간순간의 우연이, 그들 각자의 행성을 결정짓는 중요한 선택이 되었다.

"가위, 바위, 보!"

이로써 라감은 수성, 이브가 금성, 에바가 지구, 할머니가 화성을 맡게 되었다. 각자의 손에 행성의 운명이 담겨 있음을 느끼며, 그들은 신의 역할을 다짐했다. Ra의 모습은 이제 평온하고 자애로운 아버지의 모습으로 변해 있었다. 신은 딸들을 바라보며 말했다, "너희는 나의 자랑이다."

딸들은 각자의 행성을 관장하는 신으로 거듭났다. 그들은 눈 부신 태양 아래에서 각자의 특유한 냄새를 풍겼다.

첫째 딸, 라감은 수성을 관장하는 신이 되자, 자신만의 냄새를 풍겼다. 그리고 눈에 보이지 않는 공기로 변신했다. 그 자리에 서 있지만, 누구도 그녀를 볼 수 없었다. 단지 커피 향이 진하게 공기에 맴돈 냄새만이 그녀의 존재를 알렸다.

둘째 딸, 금성을 관장하는 신이 되자, 아담과의 사랑을 나눌 때 소중하고 아름다운 냄새를 풍기며 들리지 않는 음악으로 변신했다. 그녀의 존재는 아름다운 멜로디로 가득 차 있었지만, 그 소리는 귀에 들리지 않고 마음속에서만 울려 퍼졌다.

셋째 딸, 지구를 관장하는 신이 되자, 지하철 속 인간의 짙은 땀 냄새를 풍기며 터치로 느낄 수 없는 부드러움으로 변했다. 그녀의 존재는 손끝으로도 느껴지지 않았지만, 그 자리에 서 있음을 모두가 알 수 있었다.

넷째 딸, 화성을 관장하는 신이 되자, 그녀는 책이 불타고 재가 될 때의 탄 냄새를 풍기며 맛이 사라진 미각으로 변했다. 그녀의 존재는 입안에서 느껴지지 않았지만, 그 자리에서 강렬한 에너지가 뿜어져 나왔다.

이 4명의 신이 각자의 특유한 형상 없는 모습으로 변신하는 모습을 본 아담은 감탄하며 외쳤다. "와, 너희들은 진짜로 발전했구나! 내가 커지고 작아지는 것보다 훨씬 대단한 능력이야! 정말 GOAT(최고 중의 최고)라니까!" 아담은 신나서 음매 소리를 내며 깝죽거렸다. 그는 자신이 커졌다가 작아지며 마치 쇼를 하듯 과장된 동작을 했다. "보라고! 이건 아무것도 아니지, 너희들이 정말 대단해!" 아담은 계속해서 깝죽거렸다. 네 딸은 그를 바라보며 웃음을 터뜨렸다.

Ra가 태양의 모습으로 변신하며, 주변이 태양 빛으로 넘쳐 흘렀다. 그의 목소리는 단호하고 엄중했다. "너희는 이제 신이다. 지금부터는 인간 중심으로 생각하지 마라."

빛나는 태양의 형상 속에서 Ra의 목소리가 울려 퍼졌다. "뭔가를 하지 않아도 하는 것이고, 하는 것도 하지 않는 것이다. 모든 것은 인간이 느끼지 못한 철저한 조화 속에 이루어져 있다. 이 세상의 모든 것, 심지어는 우리가 악이라고 부르는 폭력성과 남을 도우려는 선의 개념조차도 모두 이 거대한 계획 중 일부다."

4명의 딸은 시험을 보기 전과 달리, 태양의 눈 부심 속에서도 끄떡없이 신을 자연스럽게 바라봤다. Ra는 한순간도 쉬지 않고 말을 이어갔다. "모호함과 융합하는 방법을 터득해야 한다." "선과 악이라고 이름 짓고 규정짓는 행위를 초월해야 한다. 인간의 폭력성과 선의 개념은 단지 이 시뮬레이션의 일부일 뿐이다. 그것을 넘어서, 모든 것을 있는 그대로 받아들이고, 조화를 이룰 방법을 찾아야 한다. 에바와 영환이가 이루려 했던 중도의 길보다 더 초월적인 개념이다"

Ra는 딸을 차례로 응시했다. "너희는 인간이 아니다. 이제 신으로서 새로운 관점을 가져야 한다. 인간의 한계를 넘어서, 세상의 진정한 본질을 이해하고, 다스리는 법을 배워야 한다."

아담은 잠시 생각하더니, 고개를 갸우뚱하며 Ra를 바라보았다. 그의 목소리에는 약간의 빈정거림이 섞여 있었다. "생각해보니, 여자들만 딸로 삼아서 신까지 만들고, 아들은 필요 없으신가 봐요? 딸바보인가요?" 그의 말에 다른 사람들도 흥미롭게 Ra를 쳐다보았다.

Ra는 어이없다는 듯이 한숨을 내쉬며 대답했다. "아들은 이미 있다. 재욱은 그를 봤을 거야. 내 아들 이름은 호루스." Ra는 잠시 말을 멈추고 고개를 저었다. "백수지. 4개의 행성 중 하나를 관장하라고 시켰더니, 말을 듣지 않아. 그래서 해고했지. 내 유전을 물려받았나 봐."

재욱은 계속 붉은 지구에서 전투 중이었으나, 그 말을 듣고 깜짝 놀라며 고개를 끄덕였다. "호루스? 설마 그 눈이 영롱하게 빛나는 독수리?" Ra는 다시 한숨을 쉬었다. "그래, 호루스는 금수저, 다이아몬드 수저도 아닌 신 수저지."

아담은 눈을 반짝이며 Ra에게 물었다. "그럼 호루스는 누구 낳았고, 엄마가 있다는 거네요? 태양계 신 중에 여신도 있나요?" 그의 말에 호기심과 약간의 장난기가 섞여 있었다.

Ra는 깊은 한숨을 내쉬며 고개를 저었다. "시험을 너무 쉽게 통과시켜줬구나, 아담. 아직도 인간 중심 사고에 머물러 있구나. 이거 큰일이다. 아담을 즉시 현세로 환생시켜야겠구나."

아담은 깜짝 놀라며 두 손을 내저었다. "아, 장난이었어요. 저스트 조크, 조크!" 그는 억지로 웃음을 지으며 덧붙였다. "전 Ra도 저처럼 좀 방탕한 줄 알았죠? 진짜로 궁금해서 물어본 건 아니에요."

이 말을 듣자마자, 둘째 딸이자 금성을 관장하는 신인 이브가 순식간에 악마로 변신했다. 그녀의 눈은 불타오르고, 날카로운 이빨이 드러나는 웃음을 지으며 아담에게 다가왔다. "뭐라고 했어, 아담?"

아담은 눈을 크게 뜨고 뒷걸음질 쳤다. 얼굴은 공포로 일그러졌고, 목소리는 떨렸다. "아, 아니, 그냥 농담! 진짜로 농담!"

이브는 더욱 가까이 다가가며 비웃듯 말했다. "정말로 농담이었을까?" 그녀의 목소리는 악의적이면서도 동시에 놀랍도록 차가웠다.
아담은 머리를 긁적이며 바로 무릎을 꿇고 두 손을 모아 빌 듯한 자세로 말했다. "제발, 용서해줘. 다시는 그런 농담 안 할게!"
이브는 결국 다시 자신의 본래 모습으로 돌아가며 미소를 지었다. "그래, 용서해줄게. 하지만 앞으로는 조심해, 아담." 금성의 신의 말에 다른 신들은 웃음을 터뜨렸다.
아담은 그제야 안도의 한숨을 내쉬며 자리에 주저앉았다. 그는 다른 신들에게서 눈을 돌리지 못하고 작은 목소리로 중얼거렸다. "여기서도 아내에게 꼼짝 못 하는 신세라니…."

Ra는 그런 아담과 이브를 빤히 쳐다보다가 가볍게 고개를 끄덕이며 말했다. "좋다. 네가 농담이었다고 하니 넘어가도록 하겠다. 그러나 기억해라, 너희는 이제 신성한 임무를 맡게 될 존재들이다."

아담은 안도의 한숨을 내쉬며 고개를 끄덕였다. "알겠습니다, Ra. 앞으로는 더 진지하게 임하겠습니다."

Ra : "그나저나, 현세에 아직 살아있는 저놈이 좀 끌리는구나. 심지어 시험도 통과했으니, 사후세계로 가기 전에 이 동굴로 온다면 이름을 세트라고 지어서 내 나머지 잡무를 맡게 하고 싶구나."

아담과 영환은 서로를 바라보며 어이없다는 듯이 웃었다. 아담이 먼저 입을 열었다. "저희는 그럼 그냥 은하계로 갈 수 있는 통보가 온다면 가보겠습니다." 그의 말에 영환도 고개를 끄덕였다.

Ra는 그들의 반응에 실소를 터뜨렸다. "좋다. 너희들은 은하계로 가는 통보를 기다려라. 하지만 재욱, 너는 내 제안을 진지하게 고려해봐라. 세트라는 이름이 너에게 어울릴 것 같구나."

재욱은 피로 물든 허벅지를 어루만지며 말했다. "글쎄요, 잡무라니. 좀 흥미로운 제안이네요. 한번 생각해보겠습니다."

Ra가 항성 회의를 마치고 다시 돌아왔다. 손에 두꺼운 서류철 같은 것을 들고 있었다. "너희도 고급 시험을 보라고, 상부에 결재를 받고 왔어." 그의 목소리는 다시금 살짝 잔망스러웠다.

"지구, 태양계, 은하계를 포함한 만물은 결국, 우주 시뮬레이션이지 않겠냐?"

이 말을 들은 남자들은 순간 멍해졌다. "그래서 시험 과목이 게임 속의 주인공으로 바뀐 겁니까?" 영환이 당혹스러워하며 물었다.

Ra는 고개를 끄덕이며 목소리가 다시 장엄해졌다. "그렇다. 너희는 이 우주가 거대한 시뮬레이션일 수 있다는 가능성을 열어두어야 한다. 충분히 발전된 문명이 있다면 그들은 과거의 시점이나 다양한 우주를 시뮬레이션할 수 있다. 그리고 그러한 시뮬레이션 중 하나에 살고 있을 가능성도 있다."

셋은 더욱 당황하자, Ra는 그들의 반응을 보며 미소를 지었다. "양자역학의 관점에서도, 관찰자 효과나 파동 함수의 붕괴 등은 우리가 시뮬레이션 된 현실에 살고 있음을 암시할 수 있다. 우주가 기묘한 법칙들로 작동하고 있는 것처럼 보이는 이유는, 그것이 내가 태양계 행성을 프로그래밍했듯이, 상부도 같은 방식일지도 모르지. 고급 시험도 마찬가지일지도?"

신은 손을 들어 하늘을 가리켰다. "여기서, 저 무한한 우주를 봐라. 그것은 하나의 거대한 프로그램, 끝없는 가능성의 조합일 수 있다. 경험하는 모든 현실은 코드와 같은 것일 수도 있으니, 세상은 '존재하는' 것이 아니라, 끊임없이 '연산' 되는 것일 수도 있다."

"하하. 아무래도 진실은 우주를 관장하는 신이 알고 있지. 내가 겪은 은하계 시험은 그저 한 예에 불과할 뿐이야."

아담이 밝게 웃으며 말했다. "냄새 마스터로서 태양계를 넘어 은하계도 얼른 탐험해보고 싶어! 아, 아니지… 은하계의 모든 냄새를 다 맡아보고 싶다고!" 그의 농담에 모두가 웃음을 터뜨렸다.

Ra는 고개를 끄덕이며 말했다. "아담, 네 열정이 마음에 들어. 태양계뿐만 아니라 은하계까지도 탐험할 기회는 이미 받았어. 다만, 그만한 책임과 준비가 필요하다는 것을 명심해라."

한편, 재욱은 고군분투했지만, 지구는 로봇에 의해 거의 다 멸망했다. 이 행성은 이전의 모습을 완전히 잃어버렸다. 하늘은 어둡고, 대지는 황폐하며, 거리는 조용했다. 인간의 흔적은 희미하게 남아 있었지만, 그마저도 로봇들의 기계음과 금속성 소리에 묻혀버렸다.

재욱은 폐허가 된 도시의 한가운데 조각상을 들고 서 있었다. 지구의 운명은 신의 뜻이지만, 본인에게는 우연이므로, 생명이 다할 때까지 지켜야 한다는 숙명을 짊어지고 있었다. 그는 냄새를 깊이 들이마셨다. 그것은 파괴 속에서도 희미하게 남아 있는 생명의 흔적, 창조의 푸른 씨앗을 느낄 수 있는 냄새였다.

"파괴 속의 창조… 이 모든 것은 결국 우연이 만들어낸 결과일 뿐이다. 로봇들이 지구를 파괴했지만, 그 속에서 새로운 생명과 희망이 싹틀 수 있을 것이다. 냄새를 맡아보면 알 수 있다. 파괴된 도시속에서도 창조의 향기가 느껴진다. 이 또한 창조를 위한 우연이다."

조각상에서 아담의 목소리가 들려왔다. "그렇게 냄새만 맡다가, 도대체 언제 죽을 건데?" 반쯤 농담 섞인 말투로 물었다. 그러자 수성의 신인 라감은 성큼 나서며 말했다. "우리 아들 건드리지 마. 나도 라감의 영혼이 되니까 엄청 오래 살았거든?"

엄마의 말에 재욱은 쓴웃음을 지었다. "엄마, 난 괜찮아. 모든 것이 우연이라면, 그 속에서 나의 역할을 다할 뿐이야."

그 순간, 태양신 Ra가 나타나 장난을 치며 말했다. "재욱, 그냥 지금 죽여줄까? 그렇게 파괴 속의 창조를 이야기하는데, 죽음도 그 일부로 받아들일 수 있겠지?"

재욱은 조각상의 부릅뜬 눈을 똑바로 바라보며 되물었다. "그렇다면 그것도 파괴 속의 창조인가요?"

"그냥 네 우연에 맡겨라." Ra는 의미심장한 미소를 지으며 대답했다.

재욱은 파괴된 도시를 다시 바라보았다. 그의 얼굴을 바라보며, 라감은 아들을 격려했다. "재욱. 우연 속에서 너의 길을 찾아가렴."

그들은 이렇게 서로를 지켜보며, 각자의 운명과 우연 속에서 새로운 희망을 찾아 나섰다. 그리고 Ra는 손을 휘둘러 마지막으로 축하 파티장을 창조했다. "자, 이제 모두가 각자의 길을 찾아갈 시간이야. 하지만 오늘 밤은 즐기자!" 신의 말이 끝나기 무섭게 파티장은 다시금 찬란한 빛과 음악으로 뜨거워졌다. Ra는 모두와 함께 춤을 추기 시작했다. 그들의 웃음소리와 음악이 어우러진 파티는 새로운 시작을 알리는 장대한 축하의 순간이었다.

# <에필로그 : 신의 향기>

파괴 속 창조의 시험을 본 재욱은 라감의 영혼으로서 이 상황을 당분간 그저 지켜보기로 했다. 그리고 이복 누나이자 지구의 신인 에바도 냉정하게 그 광경을 지켜보고 있었다.

어느 날, 재욱은 로봇들이 지배하는 지구 속 이집트 고대석으로 찾아가 시험에 통과한 영혼들과 대화를 청했다. 그 대화에 답한 사람은 영환이었다.

"아직 출발 안 했어? 거기서 뭐 하고 있는 거야?" 재욱이 물었다.

영환은 고개를 돌리며 말했다. "아직도 대기 중이야. 그런데…. 한 가지 더 깨달았지. 내가 네 아버지라는 걸."

재욱은 그 말에 깜짝 놀랐다. "네가…. 내 아버지라고?"

영환은 고개를 끄덕이며 말했다. "전생은 모르겠지만, 영혼이 되기 전까지는 너의 아버지였어."

재욱은 믿을 수 없다는 표정을 지었다. 그리고 곧 인정했다. "그럼, 우리가 이렇게 다시 만난 것도 우연이군."

영환은 미소 지으며 말했다. "우연이면서도 필연이지. 우리는 신의 시험으로 다시 만나게 된 거야. 너는 지구의 신 에바와 함께 파괴 속에서 새로운 창조를 만들어가야 해."

복수의 여정은 그들에게 한층 더 깊은 깨달음을 주었다. Ra가 던진 시련과 고통은 복잡하게 얽혀 있었다. 이는 세상의 갈등을 이해하는 과정. 즉, 신이 만든 미로였다. 그 미로 속에서 7명의 라감의 영혼은 신의 냄새를 맡으며 길을 찾고 마침내, 끝에 다다랐다. 냄새는 신의 지혜와 깨달음을 상징하는 향기로 나타났고, 영혼들은 삶 속에서의 자신만의 철학을 세웠다.

복수의 미로는 여러 주인공의 무자비한 개인적 복수로부터 시작해 신의 본질을 깨닫는 과정이었다. 후각이란 물리적 향기를 넘어서 개개인의 경험에 따라 색다른 감정과 의미를 전달할 수 있는 직관적인 감각을 뜻했다. 영혼들은 일곱 가지 향기를 내뿜었다.

"그 냄새는 우주의 시작과 끝을 아우르는 신비롭고 심오한 향기였다" 이는 생명의 숲과 바다의 깊이, 공허의 고요함과 빛의 따스함이 조화롭게 어우러진 향기로, 모든 존재와 연결된 신의 본질을 나타냈다.

사랑을 나눌 때 소중하고 아름다운 향기는 생명과 재생, 자연의 순환을 상징했다. 나무와 이끼, 땅의 깊은 향은 생명의 본질을 일깨워주었다. 의식 속에서 펼쳐지는 신의 기억은, 인간의 논리나 감정을 넘어서는 것이었다. 무의식 속에서 신의 기억을 탐구하는 것은 자의식의 일종이었다.

지하철 속 인간의 짙은 땀 향기는 각기 다른 사람들의 향기가 뒤섞여 하나의 복합적인 냄새를 만들듯, 질서와 혼돈도 함께 어우러져야만 새로운 차원에 도달할 수 있었다. 신의 시각에서, 혼돈은 창조와 파괴의 반복 속에서 균형을 이루는 것이었다.

복수의 불씨가 타오르는 콩 볶는 구수한 향기는 내면의 평화와 균형을 의미했다. 그 안에서 자아존중감 또한 파괴(실패)와 창조(성공)의 로테이션 속에 생긴 조건일 뿐이었다. 과거의 실패와 고통이 지금의 자신을 만들어냈다는 그 모든 경험이 그를 더 강하게 만들었다.

커피 향이 진하게 공기를 맴도는 향기는 무(無)를 상징했다. 고요한 안정감 속에서 신의 존재를 느꼈다. 공허의 고요함 속에서 신의 형체를 초월한 본질적인 에너지인 충만함을 느꼈다.

책이 불타며 재가 될 때의 탄 냄새는 심오함을 의미했다. 소금기와 파도의 신선함은 끝없는 지혜와 사랑을 상징했다. 신의 지혜는 바다처럼 깊고 넓었다.

샤워하고 나서의 머리의 향긋한 샴푸 냄새는 허상 속의 본질을 상징했다. 거울을 통해 보이는 허상은 오로지 착각이나 환영이 아니라, 그 뒤에 숨겨진 진실을 찾기 위한 도구였다는 사실. 그리고 진정한 '나'라는 정체성과 자존감을 넘어서는 자아실현이 비로소 발현될 수 있음을 알고 신의 이중성을 이해하는 것이었다.

비릿한 밤꽃 냄새는 신의 존재가 시간과 공간을 초월하는 무한한 존재임을 나타냈다. 그들은 이 시간 속에서 신의 불변하는 본질을 깨달았다. 그리고 시간과 공간의 한계를 초월하여 신의 영원성을 이해하는 것이었다.

Ra의 말처럼, "모든 것은 운명이 정해져 있다. 너희는 그 운명을 우연으로 받아들일 수밖에 없다." 그들은 신의 시련 속에서 복수의 욕망과 내면의 갈등을 겪었지만, 결국 모든 것은 신의 시험이었다.

영환과 아담은 은하계로 출발하며 새로운 도전을 향해 나아갔다. 그리고 신의 사랑스러운 4명의 딸은 행성의 신으로서 삶을 시작했다. 우연 속에서 그들은 자신의 운명을 찾아갔다. 그리고 그 운명은 곧 그들이 만들어 갈 새로운 길이었다.